PT・OTのための測定評価シリーズ 3

Web動画付き

MMT
頭部・頸部・上肢

第3版

監修
伊藤俊一

編集
仙石泰仁
遠藤達矢

三輪書店

●第1版　監修　福田　修　　編集　伊藤俊一, 仙石泰仁
　　　　執筆　隈元庸夫, 久保田健太, 中島そのみ, 竹田里江
●第2版　監修　伊藤俊一　　編集　隈元庸夫, 仙石泰仁
　　　　執筆　世古俊明, 久保田健太, 中島そのみ, 竹田里江

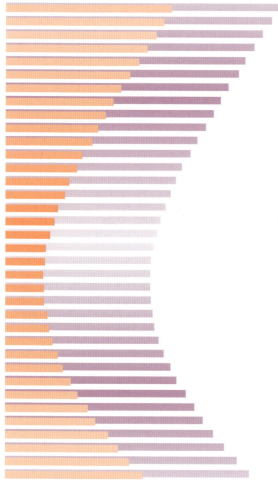

監　修　**伊藤俊一**
北海道千歳リハビリテーション大学

編　集　**仙石泰仁**
札幌医科大学保健医療学部

　　　　遠藤達矢
福島県立医科大学会津医療センター

執　筆　**久保田健太**
北海道千歳リハビリテーション大学

　　　　隈元庸夫
北海道千歳リハビリテーション大学

　　　　中島そのみ
札幌医科大学保健医療学部

　　　　竹田里江
杏林大学保健学部

　　　　遠藤達矢
福島県立医科大学会津医療センター

【映　像】有限会社写楽
【撮　影】酒井和彦
【撮影協力】北海道千歳リハビリテーション学院
　　　　　福島県立医科大学会津医療センター

第3版の監修のことば

　理学療法，作業療法の分野における評価・測定の目的は，それぞれの検査自体で帰結することでなく，対象者の介入プログラムの立案や到達目標も決定し，さらには治療効果の判定など多岐にわたる重要な情報とされます．

　特に徒手筋力検査（Manual Muscle Testing：MMT）は，対象者の筋や筋群の量的評価や病的状態の機能評価として，セラピストにとって不可欠な測定の一つです．

　MMT による評価は，古くから Daniels and Worthingham's の「徒手筋力検査法」や Kendall の「筋：機能とテスト」として，世界中で広く普及してきました．反面，幾度かの改訂を経て，臨床での実施にあたっての簡便性や汎用性，測定の信頼性や再現性という一部相反する面も指摘されるようになってきました．

　本書では，現在わが国の臨床で最も普及している Daniels and Worthingham's の「徒手筋力検査法」（協同医書出版社）を基本とさせていただいて，固定と抵抗や代償運動の防止を明記するとともに，実際の臨床場面での具体的実施方法を動画で示して，測定の信頼性と再現性を向上させるための評価技術に焦点をあてて編集しました．また，新たに一部変更された評価方法を網羅しました．

　本書が，MMT 測定の客観性を向上させるためのテキストとして利用され，臨床でより精度の高い評価結果を対象となる方達に還元していただけたら幸いです．

2023 年 3 月

北海道千歳リハビリテーション大学　**伊藤俊一**

第2版の監修のことば

　理学療法および作業療法評価は，観察・問診にはじまり，検査・測定，統合・解釈，問題点抽出，治療方針および治療プログラム立案，介入，再評価（介入効果の判定），と続く一連の思考過程で客観的判断を下す根幹をなします．

　したがって，理学療法および作業療法評価には，評価自体の標準化，評価値の信頼性・妥当性，臨床で簡便にできる実用性が不可欠です．しかし，理学療法・作業療法評価自体では，必ずしも客観的評価ばかりでなく主観的評価も混在する，評価結果の統合・解釈が療法士間で一致しない場合もあるなど，その標準化や定型化がきわめて難しいとされてきました．

　本シリーズは，臨床での評価精度とその学習効率を向上させることを目的として，2006年からシリーズ1「ROM測定」，シリーズ2「形態測定・反射検査」，シリーズ3「MMT—頭部・頸部・上肢」，シリーズ4「MMT—体幹・下肢」，シリーズ5「バランス評価」，シリーズ6「整形外科的検査」，シリーズ7「片麻痺機能検査・協調性検査」と，実施される機会の多い評価法に対しての測定精度の向上と解釈に関して，常に信頼性と妥当性を意識して制作してきました．

　そのため，DVDを付属して実際の評価場面を示しました．同時に諸注意や代償運動に関して明示し，評価技術と評価結果の捉え方が一定のレベルを担保できるように心がけてきました．さらにシリーズ7からは，実際の患者さんでの評価場面も加えて，よりわかりやすく評価が実施できるように編集し，これまでに多くの読者に支持をいただいております．

　今後も，本シリーズは最新の情報とエビデンスを取り入れ，評価結果に基づいた客観的リハビリテーション医療が展開されることで，リハビリテーション医療の対象の方々により質の高い結果が還元されることに寄与していきたいと考えております．また，療法士を目指す学生の実践学習ツールとして，活用されることを期待しております．

　最後になりますが，読者の皆様にお礼申し上げるとともに，制作に多大なご理解とご協力をいただいた三輪書店の青山　智氏ならびに濱田亮宏氏に心から感謝申し上げます．

2016年3月

北海道千歳リハビリテーション学院　伊藤俊一

第1版の監修のことば

　臨床での問題解決のためには，対象者の身体状況を可能な限り客観的に抽出し，その検査・測定値を正確に解釈して，介入方法を決定・変更することが必要となります．したがって，効果的な理学療法・作業療法の施行のためには，より再現性が高く安全な評価は不可欠です．

　元来，セラピストはその多くの評価を徒手や観察で行うことが多く，その評価結果を他職種へも共有させていけるだけでなく，対象者へもきちんと説明・還元できなければならないのです．しかし，近年の多くの科学的知識の氾濫に比して，徒手や観察による身体状況の検査・測定値の妥当性や信頼性を高めるための評価技術に関しては，臨床実習や卒後教育まかせになっている，さらに地域や病院間で測定方法が違う，評価方法が違うといった声も少なくありません．

　本シリーズでは，セラピストの評価精度を少しでも向上させるためにという趣旨にのっとって，検査・測定技能の中でも特に重要と考えられる項目を選択し，基本的な従来からの方法を見直しながら技術の確認を重視し，DVDを付属させて制作しました．何年も前から，当学院の教員たちからも"もっと実技指導に役立つ教科書があったら"といわれておりましたが，このような形で発刊に漕ぎ着けることができました．本シリーズの制作にあたっては，三輪書店の青山　智氏，濱田亮宏氏より多大なご支援をいただきました．心から感謝申し上げます．

　本書が，学生の評価学演習・実習をはじめ，多くの臨床でも活用され，評価にはじまり評価に終わるとされたセラピストの検査・測定技能を一定レベルに担保するための一助となれば監修者にとって望外の喜びです．

2008年9月

北海道千歳リハビリテーション学院　福田　修

第3版の序文

『PT・OTのための測定評価シリーズ　MMT』は，2008年の初版発刊から15年が経ちました．これまで，多くの学生や初学者の皆様の学びに活用されてきたことと推察します．そんな私も学生時代に，この本で学んだ理学療法士の一人でした．当時，この本の編集に関わることになるとは夢にも思いませんでした．貴重な機会を与えてくださった監修者の伊藤俊一先生，初版監修者の福田　修先生に深く感謝いたします．

今回の改訂は，2020年3月に発行された『新・徒手筋力検査法　原著第10版』の改訂に基づいて行いました．徒手筋力検査（MMT）はセラピストにとって必須の測定評価方法です．しかし，これまで改版ごとにマイナーチェンジが行われています．その変化は，関節位置の変化や抵抗方法の違いなど細やかなものから，測定肢位の変更など大きなものまで多岐にわたり，経験のあるセラピストでも，実は知らなかったということがあります．今回もMMTの最新の手技手法に則り，リニューアルを行いました．本書は，学生や初学者が初めて手にとる本としても必携の書といえますが，指導者の立場にある方にも，再度学び直しのために読んでいただきたい本となっています．

セラピストの基本であるMMTでさえ，絶えず変化を続けています．セラピストも絶えず知識と技術の進化を図らなければいけません．本書は，初版監修者の福田　修先生をはじめ，これまで執筆に携わってこられた世古俊明先生のご助力の元に成り立っています．先人の積み重ねに基づいて，新たな発見と進化を続けるために，本書が少しでもお役に立てればたいへんうれしく思います．

2023年3月

福島県立医科大学会津医療センター　遠藤達矢

第 2 版の序文

2006 年に「PT・OT のための測定評価 DVD Series1 ROM 測定」が出版されてから 10 年が経過し，Series としては第 7 巻まで発刊することができました．本書「PT・OT のための測定評価 DVD Series3・4 MMT」は第 2 版の発行となります．

筆者は学生時代に「形態計測，ROM 測定，MMT は PT・OT の三種の神器である」と習いました．ただ計測するだけではなく，セラピストだからこそ，形態計測で構築学的異常を確認，ROM 測定で他動運動での関節や軟部組織などの問題を推察，MMT で自動運動での関節運動と代償動作が ADL 上の諸動作とどう関連しているかを考察する，これが単なる検査測定と評価の違いであるとも習いました．学生時代以上に今でこそ，この言葉の意味するところの深さを感じます．主観的判定となる MMT は，時代遅れとなっているかもしれません．海外論文でもみかけなくなっています．徒手筋力検査機器（HHD：Hand-Held Dynamometer）が安価で入手できるようになった今では，MMT の 3 以上においてはこれらの機器を用いた筋力測定を導入すべきです．しかし，MMT の 0，1，2 レベルの筋力において，MMT はその判定基準の利便性が生きてきます．また，何よりも先に述べたように MMT を「筋力測定の手法」として捉えるだけではなく，ある関節運動を行うとこういう代償動作が出やすいという「筋力評価の手技」として理解していれば，対象者の動作分析を進めていくうえで大きな武器となります．このアナログ的な筋力評価の手技を理解してこそ，対象者の動きの理解が深まり，理学療法・作業療法のトレーニングに生きてくるものと思います．第 2 版においては，この点をさらに意識して本文だけではなく付録も含めて代償動作や固定について明確に整理・記述するように心がけました．また，MMT を実施していくチャート図を本文と付録に加筆しました．筆者も学生時代は，対象者の疲労などへの配慮が十分でないまま，検査測定を進めることで精一杯であった記憶があります．ぜひとも，対象者のイメージがまだ難しい状況の方には，本チャートをおおいに生かし活用してもらえればと思っております．また，DVD ではナレーション再生のために静止動画のままであった箇所を，ナレーション再生中も検査測定場面を一度流すことで，より自己学習がしやすくなるように工夫を加えました．反復学習してもらえれば幸いです．

ところで，より客観的な数値が得られる HHD の普及に伴い，MMT と HHD での抵抗のかけ方に誤解が生じていることがあります．関節運動を伴う active resistance はともかく，等尺性運動を用いた make test と等尺性収縮を用いた brake test の違いについては，必ず理解して使い分けるべき事項となります．詳細は本文をご参照ください．

最後に，第 2 版の出版に多大なご理解とご協力をいただいた三輪書店の青山　智代表取締役ならびに企画から製本まで常にわれわれをサポートいただいた編集室の濱田亮宏氏，幾多のこちらの要望に対しても常に快く笑顔で写真撮影の雰囲気を和まして

くださったカメラマンの酒井和彦氏，DVD 作成に多くの時間と新たなアイデアのご尽力をいただいた有限会社写楽の皆様，モデルの方々，撮影現場を快く提供していただいた北海道千歳リハビリテーション学院のみなさま，お忙しいなか執筆にあたられたセラピストの方々，そして何よりも本 DVD Series に対する温かい励ましや貴重なご意見をくださる読者の皆様に心より深謝申し上げ，本書が対象者の方のみならず，その周りの方々にとって少しでもよりよい保健医療福祉として還元できることを祈念いたします．

2016 年 3 月

埼玉県立大学保健医療福祉学部　隈元庸夫

第1版の序文

　理学療法，作業療法の分野における評価・測定の目的は，それぞれの検査自体で帰結することではなく，対象者の介入プログラムの立案や到達目標を決定し，さらには治療効果の判定など，多岐にわたる重要な情報とされます．

　特に徒手筋力検査（MMT：manual muscle testing）は，対象者の関節ごとの筋，筋群の量的評価や筋の病的状態の機能評価として，セラピストにとって不可欠な測定の一つです．

　わが国でのMMTに関するテキストは，Daniels and Worthingham's の「徒手筋力検査法」やKendall の「筋：機能とテスト」として広く普及してきました．反面，幾度かの改訂を経ることで，臨床で実施するにあたっての簡便性や汎用性と，測定の信頼性や再現性という一部相反するバランス面で，MMTを学ぶ学生たちにとって理解し難い部分も増えていました．

　本書では，現在わが国の臨床で最も普及している Daniels and Worthingham's の「徒手筋力検査法（協同医書出版社）」を基本とさせていただき，特に代償運動の防止および固定と抵抗に関して項目ごとに整理して明記するとともにDVDでも解説し，検査の信頼性と再現性を向上させるための技術に焦点をあてて編集しました．

　本書が，まず自分自身のMMT検査の客観性を向上させるためのテキストとして活用され，また臨床でより精度の高い評価・結果が，対象となる患者さんたちに多くの面で還元されましたら幸いです．

2008 年 9 月

北海道千歳リハビリテーション学院　　伊藤俊一

Contents

第1章 総論

1 徒手筋力検査 (MMT：manual muscle testing) 2

2 意　義　2

3 目　的　2

4 判定基準　3

5 テスト手技　4

6 メイクテストとブレイクテスト，
　アクティブレジスタンステスト　5

7 信頼性　6

8 代償動作　6

9 固定と抵抗　7

10 具体的手順　7

11 その他　9

12 検査時の留意点　9

13 おわりに　10

第2章　頭部・頸部

1 頭部屈曲 (顎引き，chin tuck)　12

2 頭部伸展　17

3 頸部屈曲　24

4 頸部伸展　30

5 頸部回旋　35

第3章　上肢

1 肩甲骨挙上　42

2 肩甲骨外転と上方回旋　48

3 肩甲骨下制と内転　55

4 肩甲骨内転　61

5 肩甲骨内転と下方回旋　67

6 広背筋 (肩甲骨下制)　73

7 肩関節屈曲　77

8 肩関節伸展　83

9 肩関節外転　89

10 肩関節外旋　94

11 肩関節内旋　100

12 肩関節水平外転 (伸展)　105

13 肩関節水平内転 (屈曲)　110

14 肘関節屈曲　117

15 肘関節伸展　　　123

16 前腕回外　　　129

17 前腕回内　　　135

18 手関節屈曲(掌屈)　141

19 手関節伸展(背屈)　147

20 母指中手指節(MP)
　　関節(短母指屈筋)屈曲　153

21 母指指節間(IP)関節
　　(長母指屈筋)屈曲　　158

22 母指中手指節(MP)
　　関節(短母指伸筋)伸展　163

23 母指指節間(IP)関節
　　(長母指伸筋)伸展　　168

24 母指外転　　　174

25 母指内転　　　183

26 母指および小指対立　188

27 中手指節(MP)関節屈曲　195

28 中手指節(MP)関節伸展　201

29 近位指節間(PIP)関節屈曲　206

30 遠位指節間(DIP)関節屈曲　211

31 指外転　　　216

32 指内転　　　220

付　録

・筋力検査と検査肢位　226

・筋力検査結果　　　228

・代表的な代償動作一覧　230

・MMT―頭部・頸部・上肢　232

・頭部・頸部・上肢の
　MMT 実施チャート　234

・各検査の肢位・固定または
　触知・抵抗または支持一覧　235

本書の使い方

本書で使用している矢印ならび円は，固定または補助動作を◯（黄色），検者の抵抗を⇒（赤），被検者の動作を⇒（青），代償動作を⇒（紫）として表しております．

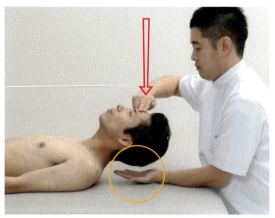
固定と検者の抵抗

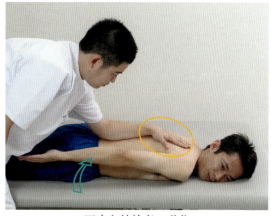
固定と被検者の動作

代償動作

◎動画をご覧ください◎

上肢 **1 肩甲骨挙上** 参考可動域 20°

I 主動作筋

筋 名	起 始	停 止	神 経
僧帽筋（上部） trapezius muscle	外後頭隆起，項靱帯，第7頸椎〜第12胸椎の棘突起	鎖骨，肩峰，肩甲棘	副神経，頸神経 C2〜4
肩甲挙筋 levator scapulae muscle	第1〜第4頸椎の横突起結節	肩甲骨上角，内側縁	肩甲背神経，頸神経 C2〜5

xiii

第1章　総　論

総　論

 1 徒手筋力検査（MMT：manual muscle testing）

　筋力の検査は，理学療法士や作業療法士などによる身体機能評価として欠かせない評価法の一つである．その歴史は古く，米国で流行したポリオ患者の筋力評価のために整形外科医である Lovett が 20 世紀初頭に開発した[1~3]．

　従来から，わが国では Daniels and Worthingham の「徒手筋力検査法（以下，Daniels の MMT）」[4] や Kendall の「筋：機能とテスト（以下，Kendall の MT）」[5] がテキストとして使用され，Daniels の MMT に至っては第 10 版まで改訂され，広く普及している．しかし，米国ではむしろ Kendall の MT のほうが一般的であり，姿勢の評価などに関してはわが国でも多くの成書で引用されている．

　Daniels の MMT は，第 5 版までは多少の修正が行われてきたが，第 6 版以降は大幅な改訂が行われた．MMT は，対象者が重力や抵抗に抗して各関節の筋（筋群）の発揮しうる筋力を検者の徒手により量的に検査する非連続変数を用いた評価法である．徒手的検査であるがゆえに，簡便で汎用性に富むが，半面後述した問題点や欠点も少なくないため，限界や応用範囲を踏まえて活用する必要がある．

　本書では改訂された Daniels の MMT を基本として，臨床で行われている検査精度をより向上させることに配慮して執筆した．

 2 意　義

①関節ごとの筋，筋群を徒手により量的に判定する．
②末梢性の弛緩性麻痺，軽度の痙性麻痺，廃用性筋萎縮などの筋の状態を評価する．
③診断や治療プログラムの立案およびその効果を判定する．

 3 目　的

1）診断の補助
　検査する筋の支配神経や髄節をもとに，末梢神経損傷や脊髄損傷などの損傷部位を決定する．

2）運動機能の判定
　関節や筋，神経系の障害による筋のバランスや関節の変形を予想する．

3）治療効果の判定

手術（前）後の状況の判定はもちろん，定期的評価による治療経過の把握や治療効果を判定する．

4）治療の一手段

検者であるセラピストなどの徒手により，抵抗量の加減，代償動作のコントロールが可能であるため，テスト自体が筋力増強訓練や筋再教育の一手段にもなる．

4 判定基準

表現法はさまざまだが，わが国で一般的に用いられているのはDanielsの6段階評価法である．まず，段階「良（fair：F：3）」を基準として，重力・徒手抵抗に抗して関節運動が可能な場合を「正常（normal：N：5：強い抵抗と重力に抗して完全に運動できる）」「優（good：G：4：弱い抵抗と重力に抗して完全に運動できる）」として評価する．逆に，重力に抗して関節運動が不可能な場合を「可（poor：P：2：重力を除けば完全に運動できる）」「不可（trace：T：1：筋のわずかな収縮はみられるが関節は動かない）」「ゼロ（zero：Z：0：筋の収縮がまったく認められない）」に分けて評価する（表1）．

また，原則としてプラス（＋）やマイナス（－）の段階づけは望ましくないとされる[4]．例外

表1　MMTの判定基準

数的スコア		測定肢位	抵抗	参考可動域
5	normal（N）	抗重力位	最大抵抗	全運動範囲で関節可動可
4	good（G）		中等度	
3⁺	fair（F）⁺		軽度	
3	fair（F）		重力のみ	
2⁺	poor（P）⁺	免荷位	ごく軽度	一部で関節可動可
2	poor（P）		なし	全運動範囲で関節可動可
2⁻	poor（P）⁻			一部で関節可動可
1	trace（T）			筋収縮のみで，関節可動は生じない
0	zero（0）			筋収縮も関節可動も生じない

※全運動範囲：角検査において規程された範囲

第1章　総　論

として，$3^+(F^+)$，$2^+(P^+)$，$2^-(P^-)$の段階づけは認められている．従来から，MMTの段階づけは主観性と客観性，さらに対象者のモチベーションまで含まれ，熟練が必要とされてきた[4]．これまでの報告では，4(G)の段階が広すぎて検者間の相関は低いとされる．特に3(F)以下の段階づけでは，その評価の信頼性は著しく低下することが報告されている[6~9]．このような中で，より評価の信頼性を向上させるために$3^+(F^+)$，$2^+(P^+)$，$2^-(P^-)$の段階づけが認められている．以下に，$3^+(F^+)$，$2^+(P^+)$，$2^-(P^-)$について述べる．

1）$3^+(F^+)$

重力に抗して全運動範囲を完全に動かすことが可能で，最終的に規定された位置および軽い抵抗に対しても保持可能な筋力をいう．この評価により，4(G)の段階の範囲を補完することが可能となる．例えば，下肢においては靴を履いて段階3の運動が可能であれば，段階3^+と判定することなどで装具処方の目安ともなる．

2）$2^+(P^+)$

この評価は，基本的には足関節底屈筋力の評価に際して用いる．例えば，立位での足関節底屈筋力の評価で踵を持ち上げることは可能であるが，つま先動作はできない場合を$2^+(P^+)$と評価する．

3）$2^-(P)^-$

重力除去位で，2(P)の全運動範囲のうち一部の運動ができる場合を$2^-(P^-)$とする．これにより段階2(P)と段階1(T)の間の範囲を補完することが可能となる．

現在の段階づけのみでは筋力強弱の判別感度が低く，被検者の筋力増加や弱化が表面化しても異なる段階へ移行することが困難ともいわれている．また，MMTの3^+以上の検査尺度の判定では，検査者の性別・体格・年齢などにより与える徒手抵抗の強さが影響を受け，さらに被検者の性別・体格・年齢などを考慮して検査尺度が判定されるために主観的な要素を含んで曖昧ともいえる．MMTを臨床で使用するためには，より細分化して判別感度を高くし，より客観的な検査尺度が求められている．また，MMTは段階づけをするための尺度であり，大小による尺度間の間隔は等しくないことを念頭におく必要がある．

5 テスト手技

DanielsのMMTでは，以前は全可動域の自動・抵抗運動評価（full ark test, active resistance test；以下，アクティブレジスタンステスト）であったが（臨床場面では，これをメイクテストと称することも多い），第6版以降からは抑止テスト（break test；以下，breakテスト）に変更された．これにより，これまで求心性運動で行われてきた評価に比べて，より最大筋力の評価を行いやすくなった．しかし，等尺性運動で検査した筋力と日常生活動作（ADL：

activity of daily living）には乖離が生じることや，疼痛を有する対象に対しては疼痛が出現する角度と筋力の関連性を検討するため，臨床的にはアクティブレジスタンステストによる確認も必要である．

6 メイクテストとブレイクテスト，アクティブレジスタンステスト

MMTでは，等尺性運動でのブレイクテストが推奨されている．

1）等尺性運動によるメイクテスト（make test）
①検者が保持している徒手抵抗に対して，被検者が押す．
②求心性運動の要素が一部存在し，「押してください」という被検者への指示となる．
③測定時の構えの正確性と保持の確実性が保証される．
④被検者の筋力が徐々に強まるため，段階4と5を一度に検査できるが，判定には検者の経験が必要となる．そのため，徒手筋力測定機器での検査の実施が推奨される．

2）等尺性運動によるブレイクテスト（break test）
①被検者が一定の構えをとり，検者が徒手にて検者の構えを崩す．
②遠心性運動の要素が一部存在し，「保持してください」という被検者への指示となる．
③等尺性運動によるメイクテストより1.3倍ほど筋力は大きくなる[6]．
④被検者が一定の筋力を発揮している状態で測定するため，MMTでの段階4と5の実施に推奨される．

3）アクティブレジスタンステスト（active resistance test）
①被検者の関節運動中に検者が徒手によって運動方向とは逆方向への抵抗を強めていき，被検者が耐えられるが，関節運動が止まるまで最大抵抗を加える．これを臨床では，単にメイクテストと称することもある．測定結果が不確実となるため，熟練を要する．

第1章 総論

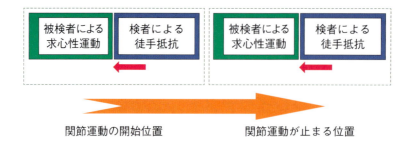

7 信頼性

1) 検者内相関 (intra-rater reliability)

　Duchenne 型筋ジストロフィー者を対象とした Daniels の MMT を用いた報告では，評価の再現性は $\kappa = 0.65\text{-}0.93$ で，検者内相関も $\kappa = 0.80\text{-}0.99$ と高い相関を示している[7,8]．同様に骨関節疾患者と神経筋疾患者を対象とした再現性の検討でも，相関係数 $r = 0.63\text{-}0.98$ で高い再現性を示している[9]．

2) 検者間相関 (inter-rater reliability)

　一般に検者間相関は，検者内相関に比べて低いとされてきた．しかし，Becker 型筋ジストロフィー者を対象とした報告では，検者間信頼性は ICC (intraclass correlation coefficient) = 0.90 と高い検者間相関を認めている[10]．
　いずれにしても，評価の再現性を向上させるためには代償動作をできる限り防止することがきわめて重要となる[11]．

8 代償動作 (trick motion；付録参照)

　代償動作とは，ある運動を行う時または筋力低下や麻痺がある時に，その運動を残存している筋・筋群の活動によって補い，見かけ上の類似の運動をする現象のことである．MMTの実施において，一般的に対象は一生懸命に筋力を発揮しようとする．したがって，代償運動の出現は評価の再現性を低下させる．代償動作を防止するためには，検査肢位，固定と抵抗の部位や大きさが重要となる[2]．例として，長母指外転筋による手関節屈曲，上腕二頭筋による上肢外転・挙上，棘上筋のみによる上肢外転，手根屈筋による肘関節屈曲，腕橈骨筋による肘関節屈曲，長母指屈筋による母指内転，長母指屈筋と母指内転筋による偽性対立運動などが代償しやすい運動であるが，ほとんどの関節運動で代償動作が可能であるため，本書ではおのおのの項目に代償動作を明記した．これら各関節運動での代償動作を知っておくことは MMT の検査時だけではなく，動作分析における筋による作用や ADL での代償的アプローチを考察していくうえなどで有用となる．検査にあたっては，常に代償動作の出現に

注意を払い，防止する必要がある．

9 固定と抵抗

　固定に関しては，前述した代償動作の防止のためにも必要不可欠となる．本書では，おのおのの項目に固定部を明記したが，特に体幹・骨盤・下肢の代償動作は，被験者の上肢だけでは簡単に固定できない場合が多いため，被検者の下肢や体重を利用して固定することが必要な場合もある．

　抵抗に関しては，4（G）の段階の範囲と5（N）の評価を各検者がしっかり規定し，その基準を遵守することが再現性向上につながる．ただし，小児，成人，老人では最大抵抗量が異なって当たり前ともいわれており，さらに障害側や疼痛側が片側の場合には左右差なども参考にする必要がある．

　また，MMTでは四肢や体幹，それぞれを剛体とみなしているが，各関節軸から抵抗部位までの距離を考慮していない筋力検査をしていることになる．よって，本来は各関節軸から抵抗部位までの距離が個人間で異なれば，個人間での比較はできない．そのため少なくともMMTの検査における抵抗は，毎回同じ部位で加えることが重要である．左右で抵抗部位が異なるとMMTの判定結果に左右差が生じるのは至極当然のことである．

10 具体的手順（図1）

①被検者の協力とオリエンテーション：テストの方法を十分説明し，正しい運動ができるようにする．
②被検者の肢位：被検者の体位変換は，最小限度にして疲労させない．そのため，同一肢位でできるテストは同一肢位で行い，その後，次の肢位に移る．また，指定の肢位がとれない時は別法での肢位を記載する．
③衣服の着脱：テスト部位は，必要なら露出させて代償動作や筋収縮をみやすくする．
④両側肢の検査：テストはできる限り両側とも行う．
⑤固定の重要性：テスト部位の関節よりも近位の関節を固定することが大切である．これが不十分だと代償動作が起こり正確性を欠くことになる．
⑥抵抗を加える部位と加え方：抵抗は検査筋や筋群の運動方向と正反対で，検査する関節を構成する四肢・体節の遠位端に加える．また，抵抗を加える時は徐々に加える．骨折などで四肢・体節の遠位端に抵抗を加えられない時は，近位端に加えることもある．
⑦基本原則はブレイクテストで行うが，疼痛を有する被検者や理解力の乏しい対被検者を評価する場合にはアクティブレジスタンステストでも確認する．
⑧代償動作を防止する．
⑨小児では，直接手を触れず動作を観察して筋力を推定する方法も使用する．

第1章 総論

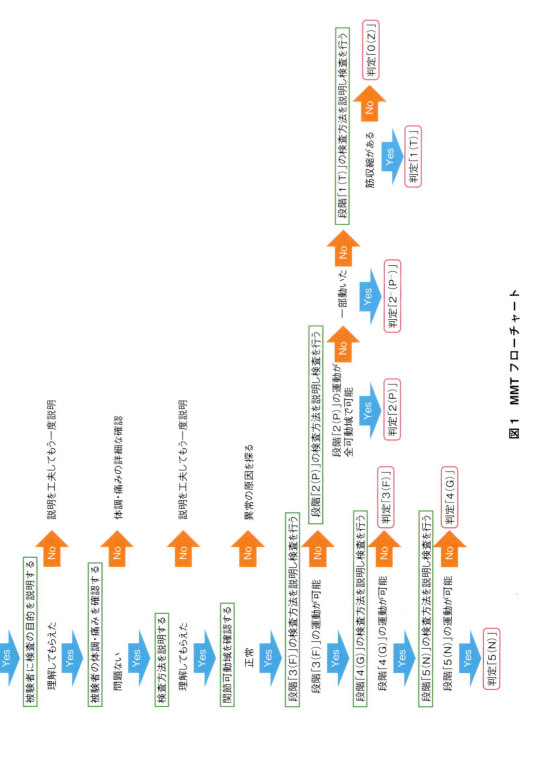

図1 MMT フローチャート

第1章 総論

11 その他

　検査に際して痛みを訴える場合は，pain の頭文字をとって P，著明な場合は PP，拘縮がある場合は contracture の頭文字をとって C，痙性がある場合は spasticity の頭文字をとって S，著明な場合は SS，などを検査値に加える場合もある．

12 検査時の留意点

1）頭部・頸部

頭部・頸部の MMT では，以下の点に留意する必要がある．
①頭部・頸部への作用筋は一運動方向に対しての数が多いが，筋長が短かい筋が多く（特に屈筋），検査時の関節可動範囲も少ない．
②抵抗のかけ方や方向に注意する．
③頭部の屈筋は深層にあるため，段階1（T）・0（Z）時の筋の触知は困難である．
④頭部・頸部の筋力は，体幹筋力と密接に関係しているため，解釈時には頭部・頸部の検査結果のみではなく，体幹の検査結果も参照する．
⑤リウマチや頸部疾患の患者に対する検査時には，環軸関節の亜脱臼や痛みの増悪を起こさないように細心の注意を払う．

2）上　肢

上肢の MMT では，以下の点に留意する必要がある．
①肩甲骨の検査は，大きな上肢可動域が必要なものが多いので，事前に可動域測定を行い確認する．
②肩甲骨の検査は，関節可動範囲が小さいため，必ず触診にて肩甲骨の動きを確認する．
③痛みのある被験者の場合には，必要ならば検査角度の記録やメイクテストも行う．
④抵抗を加える際は，母指球や指腹を使用し，痛みを与えないように注意する．
⑤検査全般をとおし，肢位の変換を少なくするように検査順序を工夫する．

第1章 総 論

13 おわりに

　MMT は，セラピストによる機能評価にとって不可欠なものである．1980 年代以降，各種筋力測定機器や Hand Held Dynamometer（HHD）などによる評価に関する報告も多数認められるが，機器の高価さや測定の煩雑さ，さらに対象による適応性などの影響により，依然臨床ではその大半が徒手により実施されている．したがって，評価にあたっては常に評価の再現性を意識して実施される必要がある．また，このため代償動作を許容することはできる限り排除すべきであり，固定部位や抵抗部位に関しても，より詳細な規定が必要となる．

　定量的で客観的な数値が得られる HHD の普及が進んでいるが，MMT でいう段階 2（P）,1（T）,0（Z）に相当する筋力は HHD でも残念ながら反映しきれない．本書を使用して，まずは検者内信頼性を少しでも向上させる評価を行い，将来的には検者間信頼性を向上させることを踏まえた評価を実施してもらえれば幸いである．

【文　献】
1) Lovett RW：The treatment of infantile paralysis；Preliminary report, based on a study of the Vermont epidemic of 1914. *JAMA* **64**：2118-2123, 1915
2) 内山　靖，小林　武，潮見泰蔵（編）：臨床評価指標入門．協同医書出版社，2003，pp47-53
3) Franklin DR：Diagnosis, Clinical Course, and Rehabilitation from Poliomyelitis. *Am J Phys Med Rehabil* **81**：557-566, 2002
4) Avers D, Brown M（著），津山直一，中村耕三（訳）：新・徒手筋力検査法 原著第 10 版．協同医書出版社，2020，pp2-12
5) Kendall FP, McCreary EK, Provance PG（著），栢森良二（監訳）：筋：機能とテスト-姿勢と痛み．西村書店，2006，pp3-129
6) Bohannon RW：Make tests and break tests of elbow flexor muscle strength. *Phys Ther* **68**：193, 1988
7) Florence JM, Pandya S, King WM, et al：Intrarater reliability of manual muscle test（Medical Research Council scale）grades in Duchenne's muscular dystrophy. *Phys Ther* **72**：115-122, 1992
8) Frese E, Brown M, Norton BJ：Clinical reliability of manual muscle testing. Middle trapezius and gluteus medius muscles. *Phys Ther* **67**：1072-1076, 1987
9) Wadsworth CT, Krishnan R, Sear M, et al：Intrarater reliability of manual muscle testing and hand-held dynametric muscle testing. *Phys Ther* **67**：1342-1347, 1987
10) Barr AE, Diamond BE, Wade CK, et al：Reliability of testing measures in Duchenne or Becker muscular dystrophy. *Arch Phys Med Rehabil* **72**：315-319, 1991
11) Cuthbert SC, George JG Jr：On the reliability and validity of manual muscle testing：a literature review. *Chiropr Osteopat* **15**：4, 2007

第2章　頭部・頸部

頭部・頸部

1 頭部屈曲（顎引き，chin tuck）

参考可動域 10°

I 主動作筋

筋　名	起　始	停　止	神　経
前頭直筋 rectus capitis muscle	環椎外側塊	後頭骨の底部	頸神経叢 C1～2
外側頭直筋 rectus capitis lateralis muscle	環椎横突起	後頭骨の頸静脈突起	頸神経前枝 C1～2
頭長筋 longus capitis muscle	第3～6頸椎横突起	後頭骨の底部	頸神経 C1～5
補助筋			
舌骨上筋群（顎舌骨筋，茎突舌骨筋，オトガイ舌骨筋，顎二腹筋）			

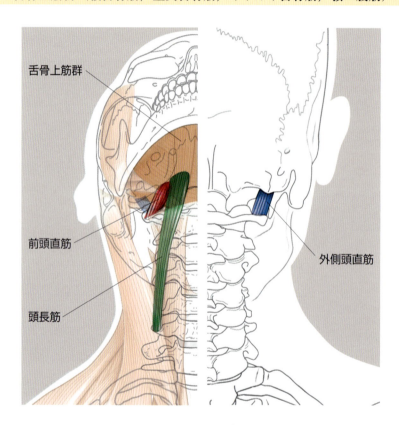

12

Ⅱ 固定と抵抗

1 特に固定は行わない．
2 抵抗をかける部位は，両下顎とする．
3 抵抗をかける際は，検者の両手で被検者の両下顎を把持し，顎を引く動作に抗する方向（上方）へ抵抗を加える．

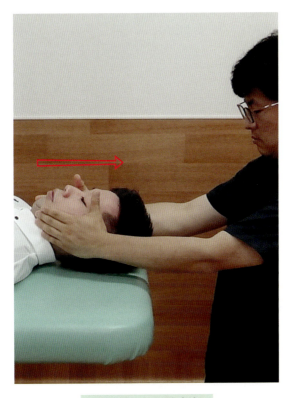

抵抗部位と抵抗方向

Ⅲ 検査方法

良（fair）：3	
検査肢位	背臥位
固　定	特になし
検　査	被検者に顎を引かせ，かつ足元がみえるように頭部を屈曲保持させる

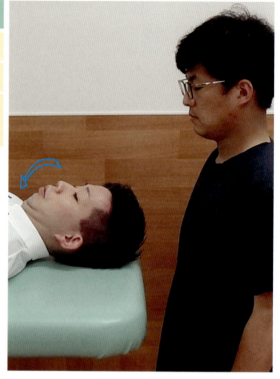

正常（normal）：5 ◆ 優（good）：4	
検査肢位	背臥位
固　定	特になし
抵抗部位	両下顎
検　査	5：被検者に段階3の終了肢位を保持させる．検者の最大抵抗に打ち勝ち，その肢位が保持可能である 4：被検者に段階3の終了肢位を保持させる．検者の中等度抵抗に打ち勝ち，その肢位が保持可能である

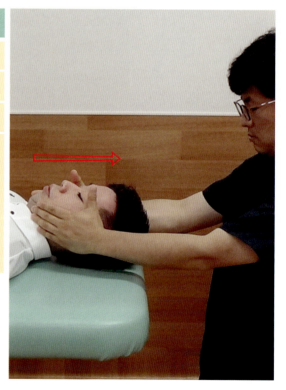

可 (poor)：2

検査肢位	背臥位
固　定	特になし
検　査	被検者に顎を引かせ，かつ足元がみえるように頭部を屈曲保持させる．わずかでも運動が起こるかを確認する

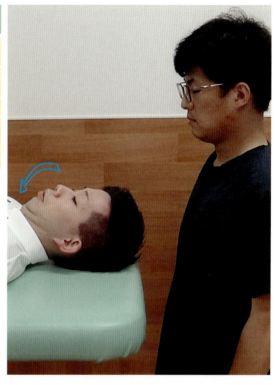

不可 (trace)：1 ◆ ゼロ (zero)：0

検査肢位	背臥位
固　定	特になし
検　査	1：被検者に顎を引かせ，かつ足元がみえるように頭部を屈曲させる．運動は起こらないが頭部屈筋群の筋収縮を触知する 0：筋収縮を認めない

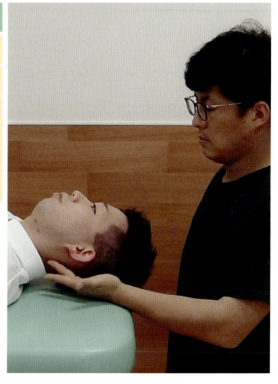

第2章 頭部・頸部

IV 代償動作

1 主動作筋が弱い場合，頸部屈曲による代償動作が起こりやすいので注意する．

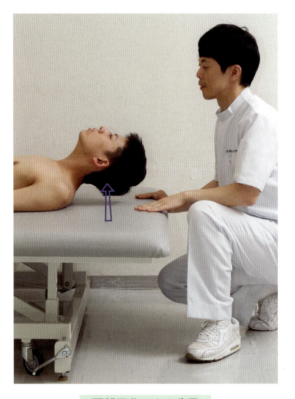

頸部屈曲による代償

V *Advance*

- いずれの段階においても頭部が離床しないようにする．
- 段階1，0の触知の際，頭部の屈筋は深部にあるため触知が困難であり，判定は難しい．一般的に頭部の屈曲がわずかでも起こらない場合は，脳神経を含む中枢神経疾患が疑えるため，脳神経検査や病的反射などの中枢神経系の評価を行う必要性を検討する．
- 頸部の屈筋である胸鎖乳突筋が働いていないことを確認する．

2 頭部伸展

参考可動域 25°

I 主動作筋

筋　名	起　始	停　止	神　経
大後頭直筋 rectus capitis posterior major muscle	軸椎棘突起	下項線の中央部	後頭下神経 （C1の後枝）
小後頭直筋 rectus capitis posterior minor muscle	環椎後突起	下項線	後頭下神経 （C1の後枝）
頭最長筋 longissimus capitis muscle	第1～3胸椎と第3～7頸椎の横突起	乳様突起	脊髄神経後枝
上頭斜筋 obliquus capitis superior muscle	環椎横突起	下項線	後頭下神経 （C1の後枝）
下頭斜筋 obliquus capitis interior muscle	軸椎棘突起	環椎横突起	頸神経後枝 C1～2
頭板状筋 splenius capitis muscle	項靱帯，第3～7頸椎・第1～3胸椎の棘突起	側頭骨乳様突起，後頭骨	頸神経後枝 C2～5
頭半棘筋 semispinalis capitis muscle	第1～6胸椎と第4～7頸椎の横突起	上・下項線間の後頭骨部	脊髄神経後枝
僧帽筋（上部） trapezius muscle	外後頭隆起，項靱帯，第7頸椎～第12胸椎の棘突起	鎖骨，肩峰，肩甲棘	副神経，頸神経 C2～4
頭棘筋 spinalis capitis muscle	上部胸椎と下部頸椎の棘突起	後頭骨	脊髄神経後枝
補助筋			
胸鎖乳突筋			

第2章 頭部・頸部

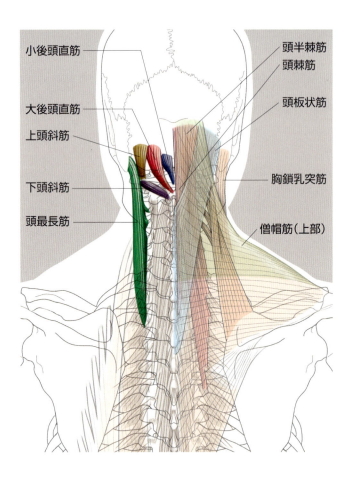

第 2 章　頭部・頸部

II　固定と抵抗

1 頭が下に落ちた場合に支えられるよう，常に検者は頭部付近に手を置き安全性に配慮する．
2 抵抗をかける部位は，後頭部とする．
3 抵抗をかける際は，検者の手で被検者の後頭部を把持し，頭部が屈曲する方向へ抵抗を加える．

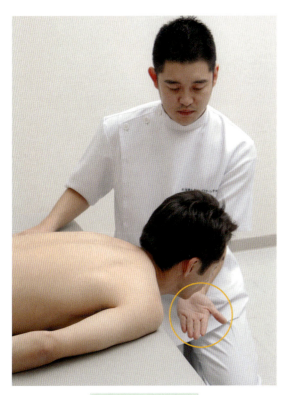

安全性への配慮

抵抗部位と抵抗方向

19

第2章 頭部・頸部

III 検査方法

良（fair）：3	
検査肢位	腹臥位
固　定	特になし．頭部の落下に注意する
検　査	被検者に顎を上げさせ，前の壁をみるように頭部を伸展保持させる

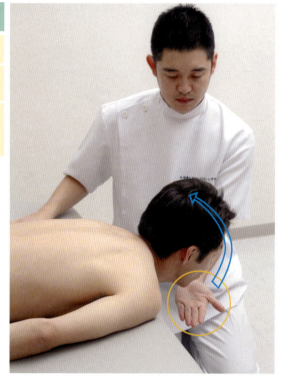

正常（normal）：5 ◆ 優（good）：4	
検査肢位	腹臥位
固　定	特になし．頭部の落下に注意する
抵抗部位	後頭部
検　査	5：被検者に段階3の終了肢位を保持させる．検者の最大抵抗に打ち勝ち，その肢位が保持可能である 4：被検者に段階3の終了肢位を保持させる．検者の中等度抵抗に打ち勝ち，その肢位が保持可能である

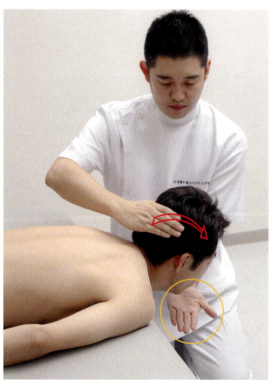

可 (poor)：2

検査肢位	背臥位
固定	固定は行わず，後頭部を支持し，若干床から持ち上げる
検査	被検者に顎を上げさせ，検者をみるように頭部を伸展させる．わずかでも運動が起こるかを確認する

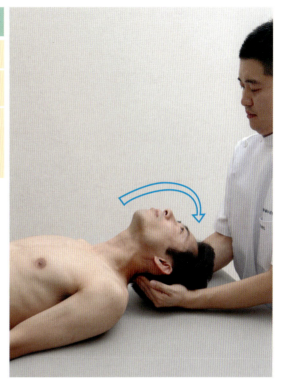

不可 (trace)：1 ◆ ゼロ (zero)：0

検査肢位	背臥位
固定	固定は行わず，後頭部を支持し，若干床から持ち上げる
検査	1：被検者に顎を上げさせ，検者をみるように頭部を伸展させると，頭部伸筋群の筋収縮が触知できる 0：筋収縮を認めない

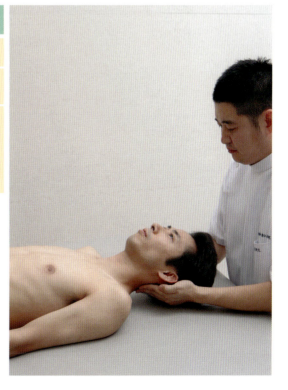

第2章 頭部・頸部

Ⅳ 代償動作

1 主動作筋が弱い場合，体幹伸展による代償動作が起こりやすいので注意する．

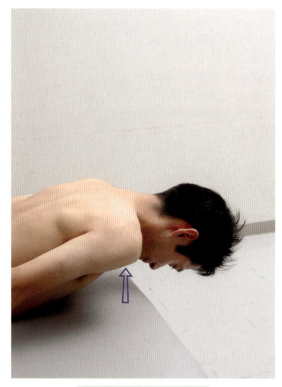

体幹伸展による代償

V *Advance*

・頭部の伸展筋群は触知が難しく，困難なことが多い．頭板状筋は最も外側にあり，比較的触知しやすい．

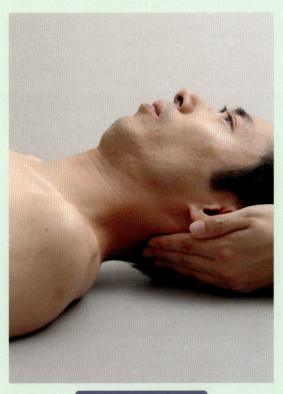

頭板状筋の触知部位

頭部・頸部

3 頸部屈曲

参考可動域 35°

I 主動作筋

筋　名	起　始	停　止	神　経
胸鎖乳突筋 sternocleidomastoid muscle	胸骨頭：胸骨柄 鎖骨頭：鎖骨内側	乳様突起，後頭骨の上項線	副神経，頸神経叢 C2～3
頸長筋 longus cervicis muscle	第2～5頸椎椎体	下部頸椎・上部胸椎椎体	頸神経前枝 C2～6
前斜角筋 scalenus anterior muscle	第3～6頸椎横突起	第1肋骨の前斜角筋結節	頸神経前枝 C5～7
補助筋			
中斜角筋，後斜角筋，舌骨下筋群（胸骨甲状筋，甲状舌骨筋，胸骨舌骨筋，肩甲舌骨筋）			

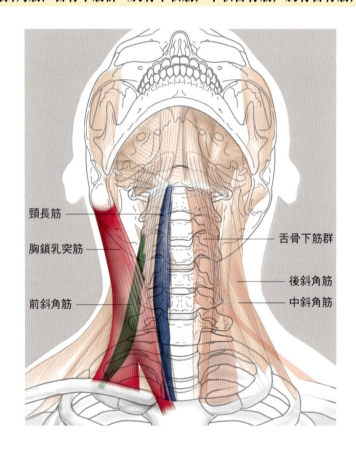

24

第2章 頭部・頸部

II 固定と抵抗

1 頭が下に落ちた場合に支えられるよう，常に検者は頭部付近に手を置き安全性に配慮する．

2 抵抗をかける部位は，前額部とする．

3 抵抗をかける際は，検者の第2指と第3指の2本だけを被検者の顎に当て，頸部が伸展する方向へ抵抗を加える．

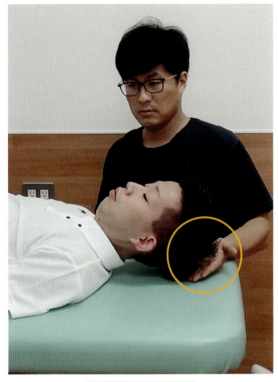

安全性への配慮

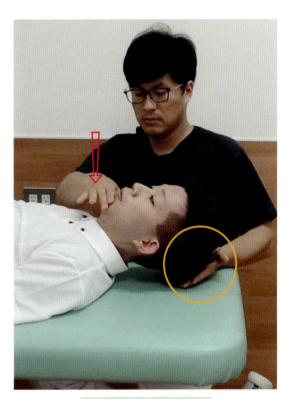

抵抗部位と抵抗方向

第2章 頭部・頸部

Ⅲ 検査方法

良（fair）：3	
検査肢位	背臥位
固定	特になし．頭部の落下に注意する
検査	被検者に顎を引かずに天井をみたままで頭部を床から離床させ，頸部を屈曲保持させる

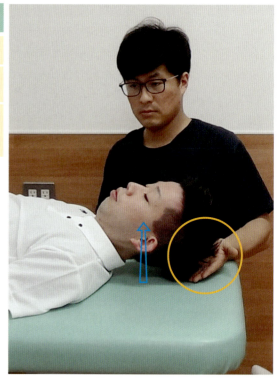

正常（normal）：5 ◆ 優（good）：4	
検査肢位	背臥位
固定	特になし．頭部の落下に注意する
抵抗部位	顎（2本指で）
検査	5：被検者に段階3の終了肢位を保持させる．検者の指2本分の中等度抵抗に打ち勝ち，その肢位が保持可能である 4：被検者に段階3の終了肢位を保持させる．検者の指2本分の軽度抵抗に打ち勝ち，その肢位が保持可能である

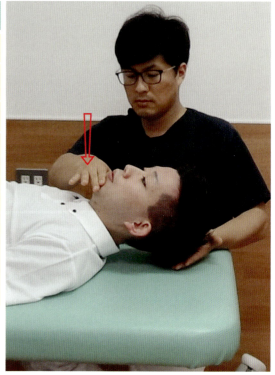

可 (poor)：2

検査肢位	背臥位
固　定	特になし
検　査	被検者に頭部を両側回旋させ，わずかでも運動が起こるかを確認する

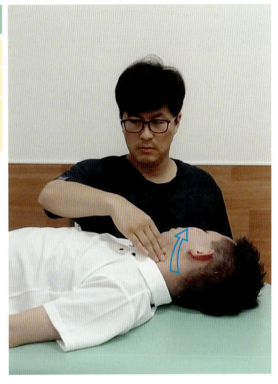

不可 (trace)：1 ◆ ゼロ (zero)：0

検査肢位	背臥位
固　定	特になし
検　査	1：被検者に頭部を両側回旋させると，運動は起こらないが胸鎖乳突筋の筋収縮が触知できる 0：筋収縮を認めない

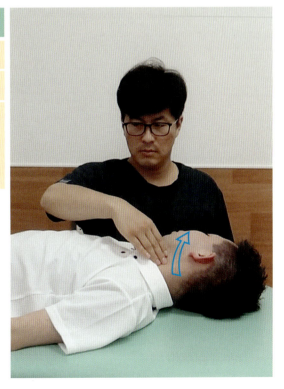

Ⅳ 代償動作

1 主動作筋が弱い場合,口角が下がり頸部に広頸筋の強い収縮が認められることがあるので注意する.
2 両肩が離床することがあるため注意する.

広頸筋による代償

Ⅴ *Advance*

- 段階2，1，0の際，頭部を右回旋した場合は左胸鎖乳突筋が，頭部を左回旋した場合は右胸鎖乳突筋が働くことに注意して測定する．

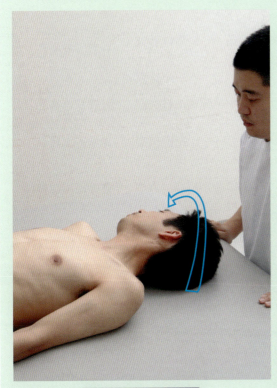

頭部右回旋の場合

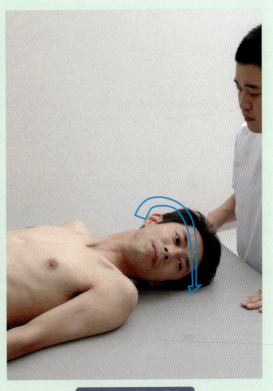

頭部左回旋の場合

4 頸部伸展

参考可動域 30°

I 主動作筋

筋 名	起 始	停 止	神 経
頸最長筋 longissimus cervicis muscle	第1～6胸椎横突起	第2～7頸椎横突起	脊髄神経後枝
頸半棘筋 semispinalis cervicis muscle	第6～1胸椎横突起	第5～2頸椎棘突起	脊髄神経後枝
頸腸肋筋 iliocostalis cervicis muscle	上部・中部肋骨	中部頸椎の横突起	脊髄神経後枝
頸板状筋 splenius cervicis muscle	第3～5胸椎棘突起	第1～2頸椎横突起	頸神経後枝 C2～5
僧帽筋（上部） trapezius muscle	外後頭隆起，項靱帯，第7頸椎～第12胸椎の棘突起	鎖骨，肩峰，肩甲棘	副神経，頸神経 C2～5
頸棘筋 spinalis cervicis muscle	第6～7頸椎と第1～2胸椎棘突起	第4～2頸椎棘突起	脊髄神経後枝

補助筋
頸棘間筋，頸部横突間筋，頸回旋筋，多裂筋群，肩甲挙筋

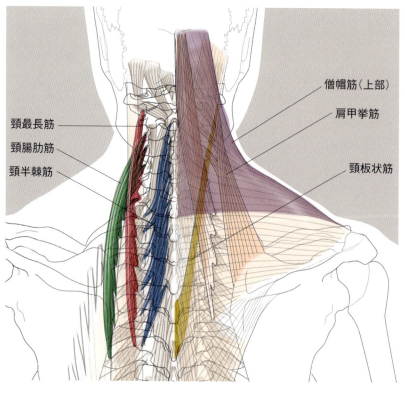

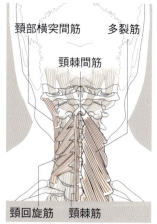

第2章 頭部・頸部

Ⅱ 固定と抵抗

1 頭が下に落ちた場合に支えられるよう,常に検者は頭部付近に手を置き安全性に配慮する.
2 抵抗をかける部位は,頭頂後頭部とする.
3 抵抗をかける際は,検者の手で被検者の頭頂後頭部を把持し,頸部が屈曲する方向へ抵抗を加える.

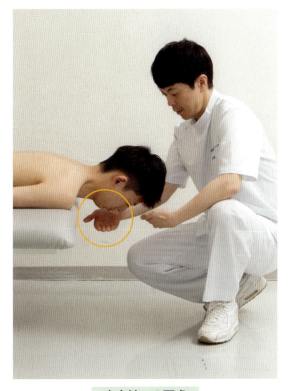

安全性への配慮

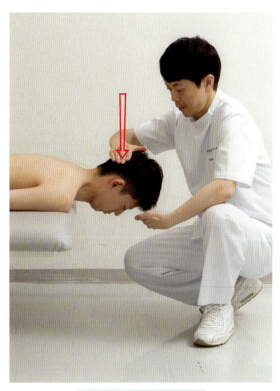

抵抗部位と抵抗方向

第2章　頭部・頸部

Ⅲ　検査方法

良（fair）：3	
検査肢位	腹臥位
固　　定	特になし．頭部の落下に注意する
検　　査	被検者に顎を引かせ，床をみたままで顔を持ち上げるように頸部を伸展保持させる

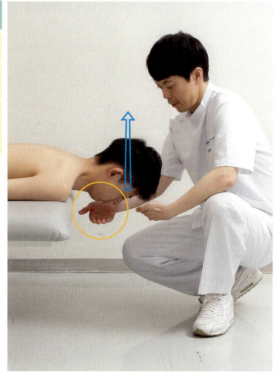

正常（normal）：5◆優（good）：4	
検査肢位	腹臥位
固　　定	特になし．頭部の落下に注意する
抵抗部位	頭頂後頭部
検　　査	5：被検者に段階3の終了肢位を保持させる．検者の最大抵抗に打ち勝ち，その肢位が保持可能である 4：被検者に段階3の終了肢位を保持させる．検者の中等度抵抗に打ち勝ち，その肢位が保持可能である

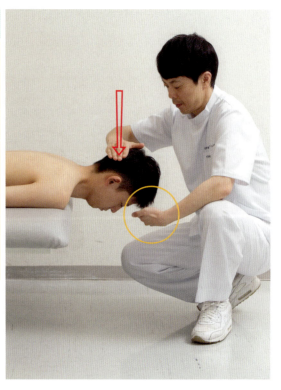

第2章 頭部・頸部

可（poor）：2

検査肢位	背臥位
固　定	固定は行わず，後頭部を支持し，若干床から持ち上げる
検　査	被検者に顎を引かせ，後頭部をベッドへ押しつけるように頸部を伸展させる．この時，わずかでも運動が起こるかを確認する

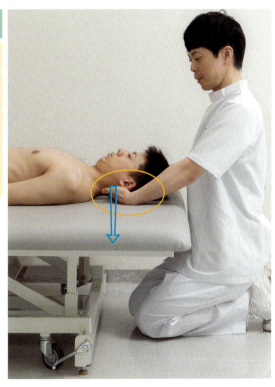

不可（trace）：1 ◆ ゼロ（zero）：0

検査肢位	背臥位
固　定	固定は行わず，後頭部を支持し，若干床から持ち上げる
検　査	1：被検者に顎を引かせ，後頭部をベッドへ押しつけるように頸部を伸展させると，頸部伸筋群の筋収縮が触知できる 0：筋収縮を認めない

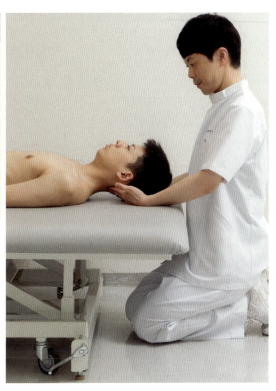

33

第2章 頭部・頸部

IV 代償動作

1 主動作筋が弱い場合，体幹伸展による代償動作が起こりやすいので注意する．

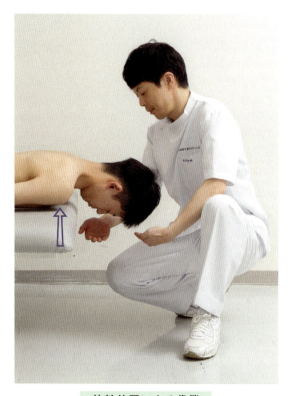

体幹伸展による代償

V *Advance*

- 段階4，5の際，体幹の伸展による代償が強い場合は，上部胸郭の背側面を固定する．この時，検者は頭部が落下した際にすぐに手が出せるよう細心の注意を払う．
- 段階3に対する別法として，被検者の体幹伸展筋または股関節伸展筋の筋力低下がある場合には，補助者が被検者の頭部の落下防止に備え，検者が被検者の上半身背部を固定する．

5 頸部回旋

参考可動域 60°

I 主動作筋

筋　名	起　始	停　止	神　経
頸回旋筋 rotatores cervicis muscle	頸椎下関節突起	隣接する椎骨の椎弓または棘突起根部	脊髄神経後枝
胸鎖乳突筋 sternocleidomastoid muscle	胸骨頭：胸骨柄 鎖骨頭：鎖骨内側	乳様突起，後頭骨の上項線	副神経，頸神経叢 C2〜3
大後頭直筋 rectus capitis posterior major muscle	軸椎棘突起	下項線の中央部	後頭下神経（C1の後枝）
頭半棘筋 semispinalis capitis muscle	第1〜6胸椎と第4〜7頸椎の横突起	上・下項線間の後頭骨部	脊髄神経後枝
頭板状筋 splenius capitis muscle	項靱帯，第3〜7頸椎・第1〜3胸椎の棘突起	側頭骨乳様突起，後頭骨	頸神経後枝 C2〜5
頸板状筋 splenius cervicis muscle	第3〜5胸椎棘突起	第1〜2頸椎横突起	頸神経後枝 C2〜5
下頭斜筋 obliquus capitis interior muscle	軸椎棘突起	環椎横突起	頸神経後枝 C1〜2

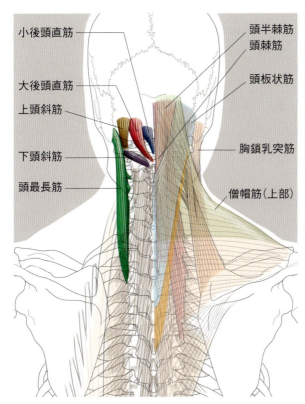

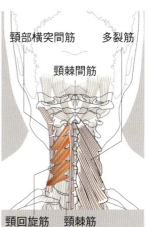

第2章 頭部・頸部

II 固定と抵抗

1 検者は被検者の両頭部側面に手をあてがう．
2 抵抗をかける部位は，検査側の頭部側面とする．
3 抵抗をかける際は，非検査側に回旋する方向へ抵抗を加える．

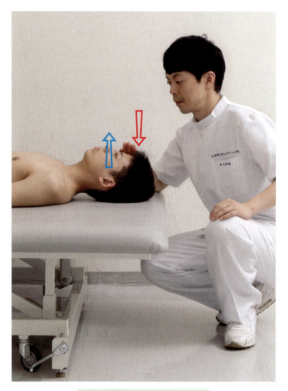

抵抗部位と抵抗方向

第2章 頭部・頸部

Ⅲ 検査方法

良（fair）：3	
検査肢位	背臥位
固　　定	特になし
検　　査	被検者に全可動域にわたり左右へ頸部回旋運動を行わせる

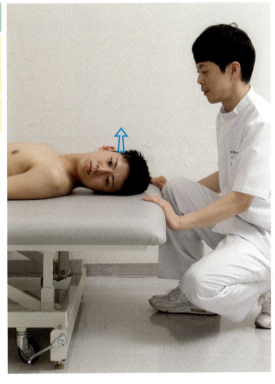

正常（normal）：5 ◆ 優（good）：4	
検査肢位	背臥位
固　　定	特になし．両頭部側面に手をあてがう
抵抗部位	検査側の頭部側面
検　　査	5：被検者に頭頸部を一側回旋位から中間位まで回旋運動をさせ，その運動が検者の最大抵抗に打ち勝ち，中間位での保持が可能である 4：被検者に頭頸部を一側回旋位から中間位まで回旋運動をさせ，その運動が検者の中等度抵抗に打ち勝ち，中間位での保持が可能である

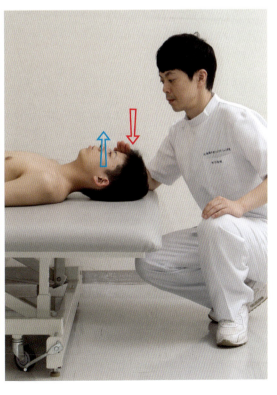

第 2 章　頭部・頸部

可 (poor)：2	
検査肢位	座位
固　　定	特になし
検　　査	被検者に頭頸部中間位から頸部を回旋させ，わずかでも運動が起こるかを確認する

不可 (trace)：1 ◆ ゼロ (zero)：0	
検査肢位	座位
固　　定	特になし
検　　査	1：被検者に頭頸部中間位から頸部を回旋させると，運動は起こらないが胸鎖乳突筋または頭頸部後方筋群の筋収縮が触知できる 0：筋収縮を認めない

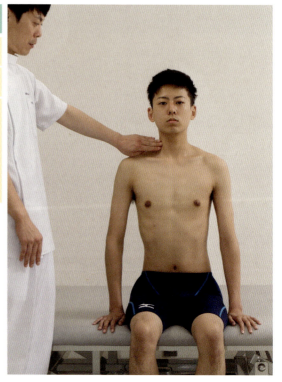

IV 代償動作

1 頭頸部屈曲・伸展・側屈による代償動作が起こりやすいので注意する．

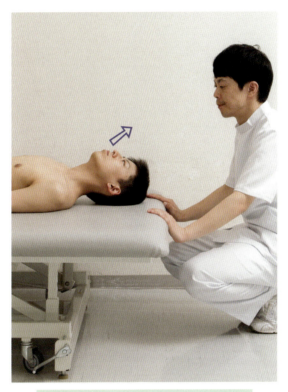

頭頸部屈曲・伸展・側屈による代償

V *Advance*

- 段階5，4，3の検査では，座位で同様に検査を行ってもよい．
- 段階2，1，0の検査では高い背もたれつきの椅子を使用し，体幹と頭部をよりかからせてもよい．

第3章　上　肢

1 肩甲骨挙上

上肢

参考可動域 20°

I 主動作筋

筋 名	起 始	停 止	神 経
僧帽筋（上部） trapezius muscle	外後頭隆起，項靱帯，第7頸椎〜第12胸椎の棘突起	鎖骨，肩峰，肩甲棘	副神経，頸神経 C2〜4
肩甲挙筋 levator scapulae muscle	第1〜第4頸椎の横突起結節	肩甲骨上角，内側縁	肩甲背神経，頸神経 C2〜5
補助筋			
大菱形筋，小菱形筋			

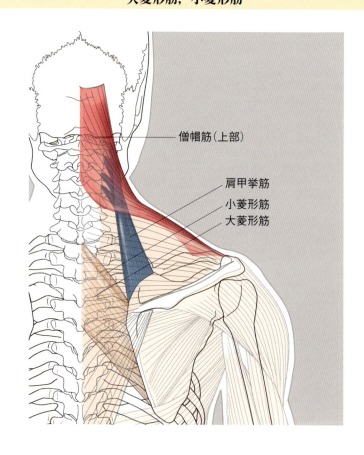

僧帽筋（上部）
肩甲挙筋
小菱形筋
大菱形筋

Ⅱ 固定と抵抗

1 体幹屈曲や肩甲骨外転による代償動作が起こりやすいため，体幹背側面を検者の両前腕にて固定する．
2 抵抗をかける部位は，僧帽筋上部線維を極力圧迫しないように肩峰端周囲とする．
3 抵抗をかける際は，検者の両手で被検者の肩峰端周囲を把持し，やや斜め前方へ抵抗を加える．

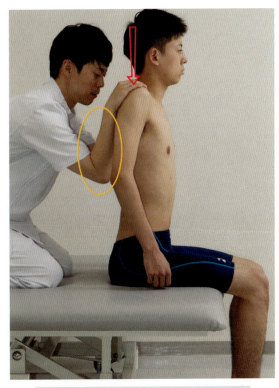

体幹背側面の固定と抵抗部位・方向

第3章　上肢

Ⅲ　検査方法

良（fair）：3	
検査肢位	座位
固　　定	特になし．運動方向に注意する
検　　査	被検者に肩をすくめるように挙上保持させる

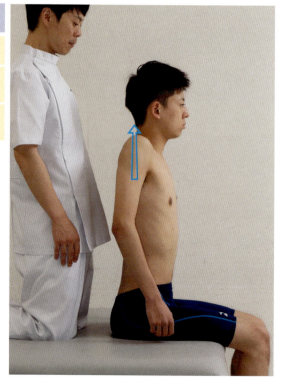

正常（normal）：5 ◆ 優（good）：4	
検査肢位	座位
固　　定	体幹背側面
抵抗部位	肩峰端周囲
検　　査	5：被検者に段階3の終了肢位を保持させる．検者の最大抵抗に打ち勝ち，その肢位が保持可能である 4：被検者に段階3の終了肢位を保持させる．検者の中等度抵抗に打ち勝ち，その肢位が保持可能である

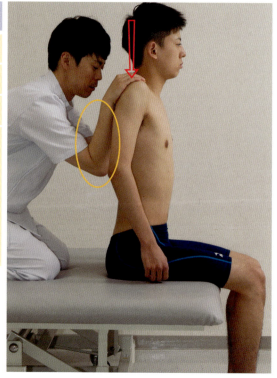

44

可（poor）：2	
検査肢位	腹臥位
固定	特になし
検査	検者は検査側の上肢帯・上肢を前面から支持し，重力を除去する．被検者に肩をすくめるように肩甲骨を挙上させ，全運動範囲で運動が可能かを確認する

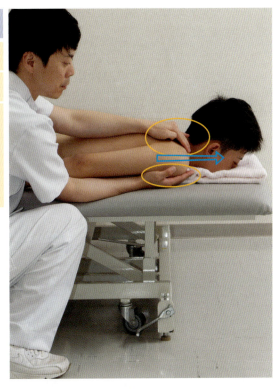

不可（trace）：1 ◆ ゼロ（zero）：0	
検査肢位	腹臥位
固定	特になし
検査	1：検者は検査側の上肢帯・上肢を前面から支持し，重力を除去する．被検者に肩をすくめるように肩甲帯を挙上させると，僧帽筋上部線維の筋収縮が触知できる 0：筋収縮を認めない

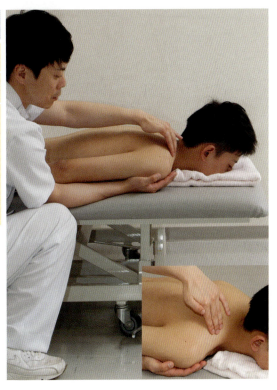

Ⅳ 代償動作

1 主動作筋が弱い場合，体幹屈曲や肩甲骨外転による代償動作が起こりやすいので注意する．
2 段階3の際に，体幹屈曲や肩甲骨外転が認められる場合は，運動方向を再度指導し，極力代償動作が出ないように注意する．

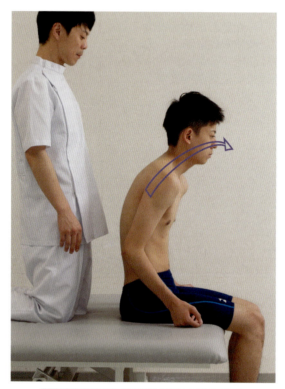

体幹屈曲，肩甲帯外転による代償

V *Advance*

・明らかな筋力低下の左右差を認める場合は，片側ごとに測定し比較を行う．

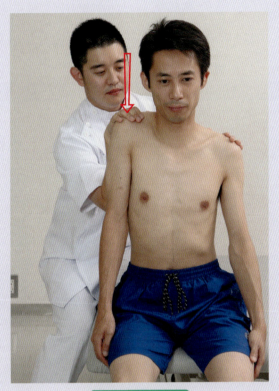

片側の測定法

上肢

2 肩甲骨外転と上方回旋

参考可動域 なし

I 主動作筋

筋　名	起　始	停　止	神　経
前鋸筋 serratus anterior muscle	第1〜9肋骨	肩甲骨内側縁	長胸神経 C5〜7
僧帽筋（上部・下部） trapezius muscle	外後頭隆起，項靱帯，第7頸椎〜第12胸椎の棘突起	鎖骨，肩峰，肩甲棘	副神経，頸神経 C2〜4
補助筋				
小胸筋，大胸筋				

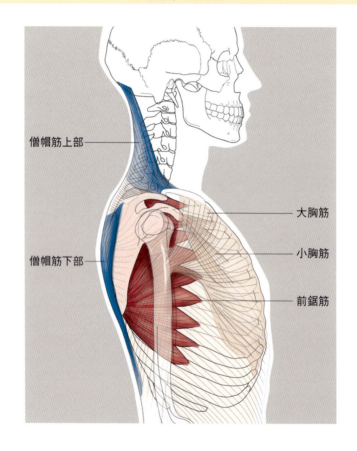

僧帽筋上部
僧帽筋下部
大胸筋
小胸筋
前鋸筋

第3章 上肢

II 固定と抵抗

1. 体幹伸展・回旋による代償動作が起こりやすいため，検査側の肩甲骨直下の体幹背側面を固定する．
2. 体幹を固定する際には，肩甲骨の winging や上方回旋を確認するため，肩甲骨下角および内側縁を必ず触知する．
3. 抵抗をかける部位は，肘関節をまたがぬように上腕近位部とする．
4. 抵抗をかける際は，検者の手で被検者の上腕近位部を把持し，下方かつ後方へ抵抗を加える．

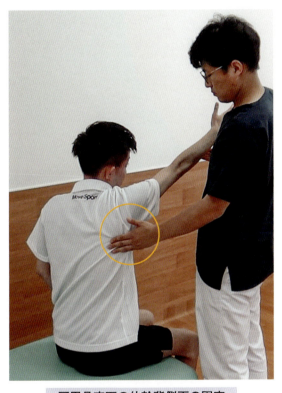

肩甲骨直下の体幹背側面の固定

抵抗部位と抵抗方向

第3章 上肢

III 検査方法

良（fair）：3	
検査肢位	座位
固　　定	肩甲骨直下の体幹背側面
検　　査	被検者に上肢を約130°前方挙上させ，保持させる．上肢の延長線上に上肢を突き出させる．この時，肩甲骨が外転・上方回旋し，肩甲骨内側縁や下角が浮き上がらず，体幹にしっかりと固定されているかを確認する

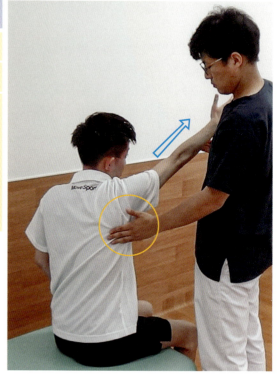

正常（normal）：5 ◆ 優（good）：4	
検査肢位	座位
固　　定	肩甲骨直下の体幹背側面
抵抗部位	上腕近位部
検　　査	5：被検者に段階3の終了肢位を保持させる．検者の最大抵抗に打ち勝ち，肩甲骨内側縁や下角が浮き上がらず，体幹にしっかりと固定されている 4：被検者に段階3の終了肢位を保持させる．検者の中等度抵抗に打ち勝ち，肩甲骨内側縁や下角が浮き上がらず，体幹にしっかりと固定されている

第3章 上肢

可 (poor)：2	
検査肢位	座位
固定	肩甲骨直下の体幹背側面
検査	検者は被検者の上肢を90°以上他動的に前方挙上し，重力を除去する．被検者にその肢位を一度保持させ，その後脱力させたのち，再び保持させる．この時，肩甲骨の外転と上方回旋が確認できる．肩甲骨の外転と上方回旋が不十分な場合や肩甲骨が胸椎棘突起のほうに動いてしまう場合は2^-と判定する

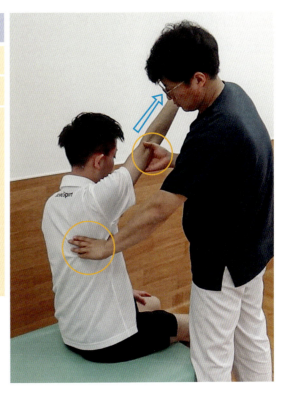

不可 (trace)：1 ◆ ゼロ (zero)：0	
検査肢位	座位
固定	特になし
検査	1：検者は被検者の上肢を90°以上他動的に前方挙上し，重力を除去する．被検者にその肢位を一度保持させると，腋窩の肩甲骨と肋骨の間で，前鋸筋の筋収縮が触知できる 0：筋収縮を認めない

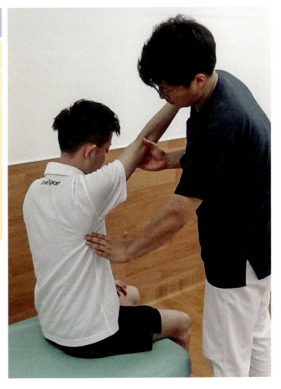

IV 代償動作

1 主動作筋が弱い場合，体幹伸展・回旋による代償動作が起こりやすいので注意する．

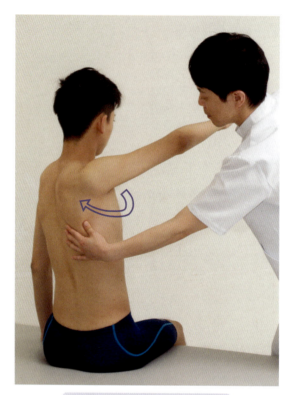

体幹伸展・回旋による代償

第3章　上肢

V *Advance*

- 測定肢位は原則的に座位で行うが，座位をとることが困難な場合，背臥位にて測定を行うことも可能である．この時，段階2は運動が部分的に行うことができるものとする．
- 段階1には背臥位での別法があり，被検者の検査側上肢を前方屈曲90°位で検者が前腕部分を支え，もう一方の手で検査肢位を保持させた時の前鋸筋を触知する．

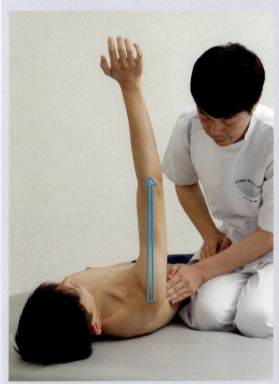

背臥位での測定方法（段階3の場合）

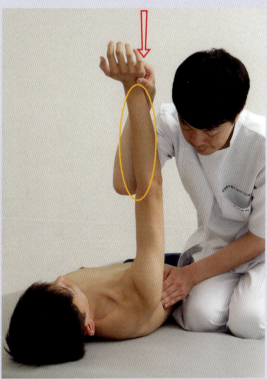

背臥位での測定法（段階4, 5の場合）

53

第3章 上肢

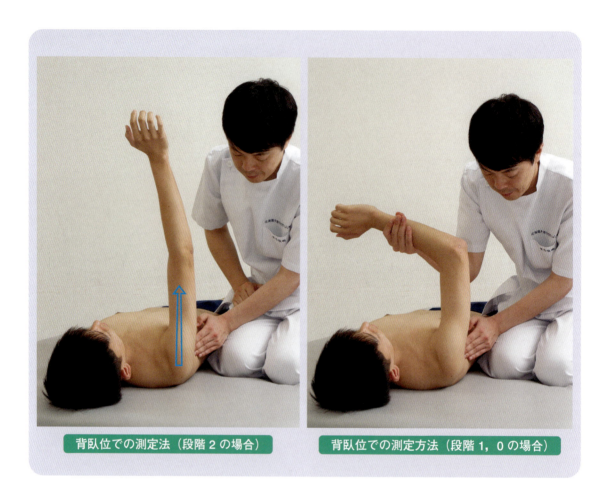

背臥位での測定法（段階2の場合） 　　背臥位での測定方法（段階1，0の場合）

上肢

3 肩甲骨下制と内転

参考可動域　10°（下制）

I 主動作筋

筋　名	起　始	停　止	神　経
僧帽筋（下部・中部） trapezius muscle	外後頭隆起，項靱帯，第7頸椎〜第12胸椎の棘突起	鎖骨，肩峰，肩甲棘	副神経，頸神経 C2〜4
補助筋			
菱形筋，鎖骨下筋，小胸筋			

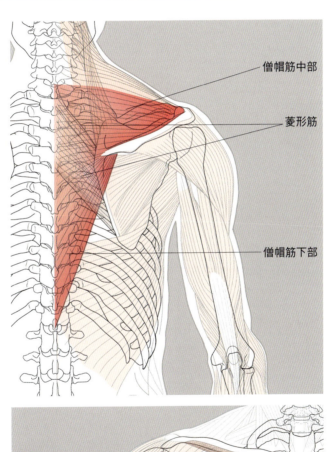

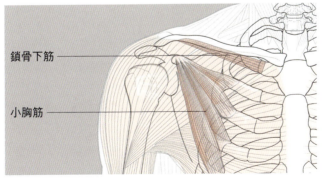

第3章　上肢

Ⅱ　固定と抵抗

1. 体幹伸展・回旋による代償動作が起こりやすいため，非検査側の体幹背側面を検者の前腕にて固定してもよい．
2. 非検査側の体幹背側面を固定する際，必ず検査側の肩甲骨内側縁および下角を触知し運動を確認する．
3. 抵抗をかける部位は上腕骨遠位部とするが，三角筋後部線維の筋力低下がある場合は肩峰端周囲とする．
4. 上腕骨遠位部に抵抗をかける際は，検者の手で被検者の上腕骨遠位部を把持し，まっすぐ下方へ抵抗を加える．
5. 肩峰端周囲に抵抗をかける際は，検者の手で被検者の肩峰端周囲を把持し，上外側の方向へ抵抗を加える．

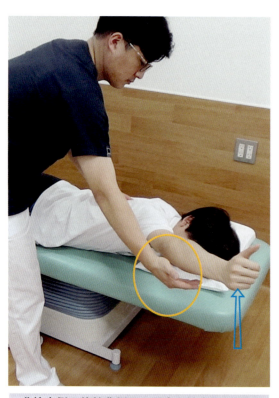

非検査側の体幹背側面の固定と検査側の触知

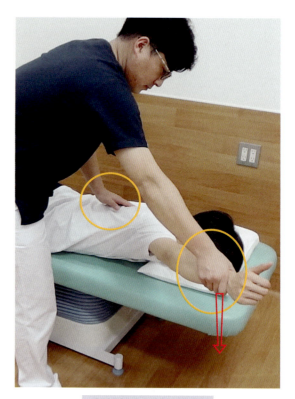

抵抗部位と抵抗方向

第3章 上肢

Ⅲ 検査方法

良（fair）：3	
検査肢位	腹臥位
固　定	なし
検　査	検者は検査側の肩関節を145°外転させ，母指を天井に向ける．被検者にベッドから上肢を耳の高さまで離すように肩甲骨を下制・内転で保持させる．この時，検者は僧帽筋を触知しておく

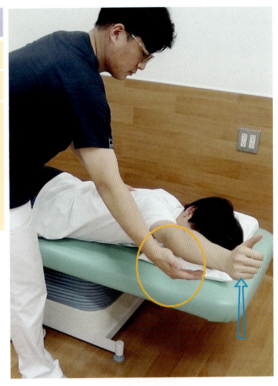

正常（normal）：5 ◆ 優（good）：4	
検査肢位	腹臥位
固　定	非検査側の体幹背側面
抵抗部位	5：前腕 4：前腕または上腕遠位部
検　査	5：被検者に段階3の終了肢位を保持させる．検者の前腕への最大抵抗に打ち勝ち，その肢位が保持可能である 4：被検者に段階3の終了肢位を保持させる．検者の上腕遠位部への強い抵抗または前腕への軽い抵抗に打ち勝ち，その肢位が保持可能である

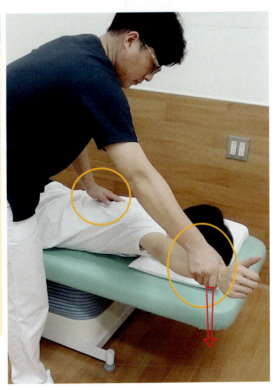

57

第3章 上肢

可（poor）：2	
検査肢位	腹臥位
固　定	非検査側の体幹背側面
検　査	検者は検査側の上肢を前面から把持し，重力を除去する．被検者にベッドから上肢と胸部を離すように肩甲骨を下制・内転させ，全運動範囲で運動が可能かを確認する．可動域全域でない場合は2⁻と判定する

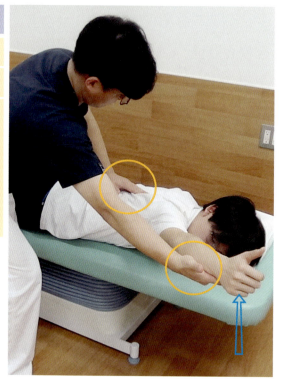

不可（trace）：1 ◆ ゼロ（zero）：0	
検査肢位	腹臥位
固　定	非検査側の体幹背側面
検　査	1：検者は検査側の上肢を前面から把持し，重力を除去する．被検者にベッドから上肢と胸部を離すように肩甲骨を下制・内転させると，僧帽筋下部線維の筋収縮が触知できる 0：筋収縮を認めない

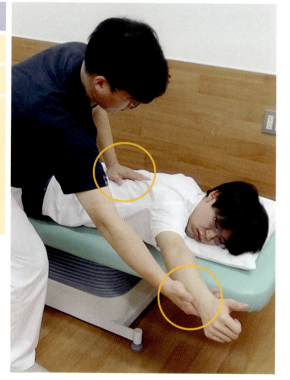

Ⅳ 代償動作

1 主動作筋が弱い場合,体幹伸展・回旋による代償動作が起こりやすいので注意する.

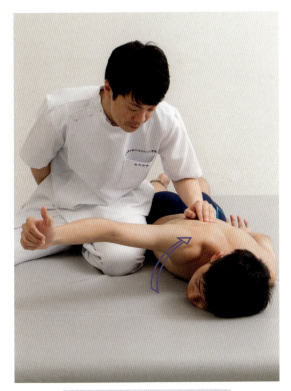

体幹伸展・回旋による代償

Ⅴ *Advance*

・抵抗をかける部位に関しては負荷の関係から上腕骨へかける方法よりも肩峰端周囲を抵抗部位としたほうがよい．
・段階3では必ず筋収縮を触知する．

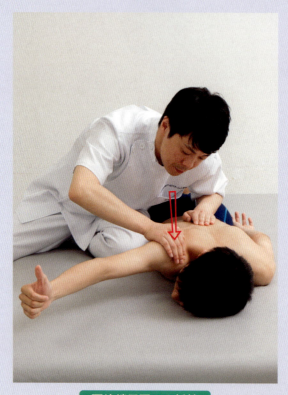

肩峰端周囲への抵抗

上肢

4 肩甲骨内転

参考可動域 なし

I 主動作筋

筋 名	起 始	停 止	神 経
僧帽筋（中部） trapezius muscle	外後頭隆起，項靱帯，第7頸椎〜第12胸椎の棘突起	鎖骨，肩峰，肩甲棘	副神経，頸神経 C2〜4
大菱形筋 rhomboid major muscle	第1〜4胸椎の棘突起	肩甲骨内側縁	肩甲背神経 C4〜6
小菱形筋 rhomboid minor muscle	第6〜7頸椎の棘突起，項靱帯下部	肩甲骨内側縁	肩甲背神経 C4〜6
補助筋				
僧帽筋（上部・下部），肩甲挙筋				

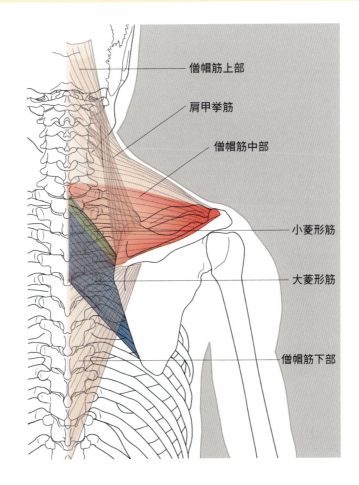

61

第3章　上肢

II　固定と抵抗

1 体幹伸展・回旋による代償動作が起こりやすいため，非検査側の体幹背側面を検者の前腕にて固定する．
2 検査側の肩甲骨内側縁を触知し運動を確認する．
3 抵抗をかける部位は上腕骨遠位部とするが，三角筋後部線維の筋力低下がある場合は肩峰端周囲とする．
4 上腕骨近位部に抵抗をかける際は，検者の手で被検者の上腕骨近位部を把持し，まっすぐ下方へ抵抗を加える．
5 肩峰端周囲に抵抗をかける際は，検者の手で被検者の肩峰端周囲を把持し，まっすぐ下方へ抵抗を加える．

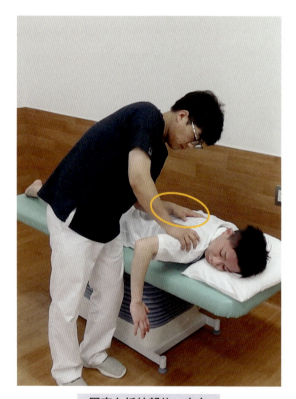

固定と抵抗部位・方向

第3章 上肢

III 検査方法

良（fair）：3	
検査肢位	腹臥位
固　定	非検査側の体幹背側面
検　査	検者は検査側の肩関節90°外転，肘関節90°屈曲させ，前腕をベッドから下ろさせる．被検者にベッドから胸部を離すように肩甲骨を内転保持させる

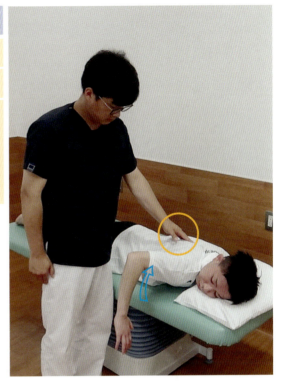

正常（normal）：5 ◆ 優（good）：4	
検査肢位	腹臥位
固　定	非検査側の体幹背側面
抵抗部位	上腕骨近位部
検　査	5：被検者に段階3の終了肢位を保持させる．検者の最大抵抗に打ち勝ち，その肢位が保持可能である 4：被検者に段階3の終了肢位を保持させる．検者の中等度抵抗に打ち勝ち，その肢位が保持可能である

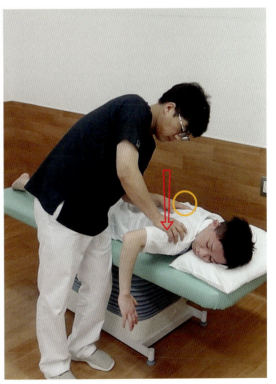

第3章　上肢

可（poor）：2	
検査肢位	腹臥位
固　定	非検査側の体幹背側面
検　査	検者は検査側の上肢帯・上肢を前面から支持し，重力を除去する．被検者にベッドから胸部を離すように肩甲骨を内転させ，全運動範囲で運動が可能かを確認する

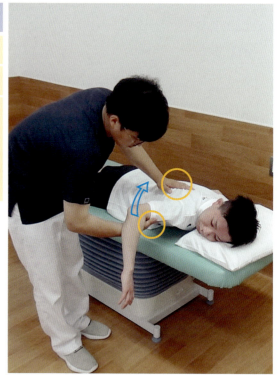

不可（trace）：1 ◆ ゼロ（zero）：0	
検査肢位	腹臥位
固　定	体幹背側面
検　査	1：検者は検査側の上肢帯・上肢を前面から支持し，重力を除去する．被検者にベッドから胸部を離すように肩甲骨を内転させると，肩甲骨の運動の一部，もしくは僧帽筋中部線維の筋収縮が触知できる 0：筋収縮を認めない

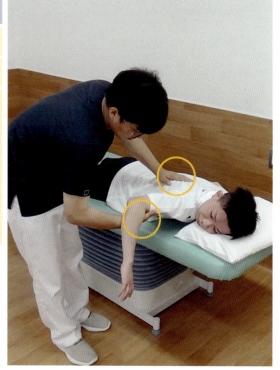

第3章 上肢

Ⅳ 代償動作

1. 主動作筋が弱い場合，体幹伸展・回旋による代償動作が起こりやすいので注意する．
2. 主動作筋が弱い場合，三角筋後部線維などの肩関節水平外転による代償動作が起こりやすいので注意する．

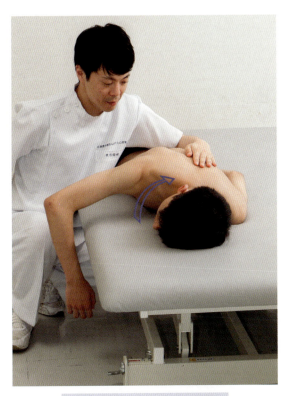

体幹伸展・回旋による代償

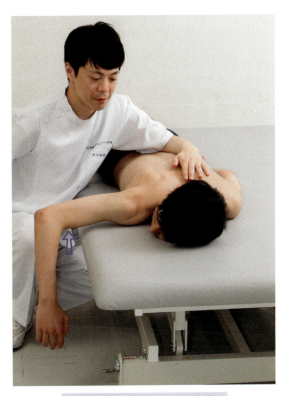

肩関節水平外転による代償

V *Advance*

・肩関節水平外転の測定とは固定部位が異なることに注意する．
・段階2，1の検査においては，台などを用いて行うと検査が容易である．
・抵抗をかける部位に関しては，負荷の関係から上腕骨へかける方法よりも肩峰端周囲を抵抗部位としたほうがよい．
・2の一部が2⁻ではないことに注意する（1となる）．

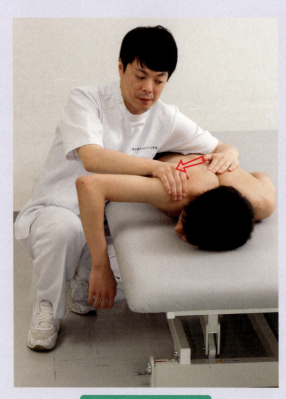

肩峰端周囲への抵抗

5 肩甲骨内転と下方回旋

参考可動域なし

I 主動作筋

筋　名	起　始	停　止	神　経
大菱形筋 rhomboid major muscle	第1〜4胸椎の棘突起	肩甲骨内側縁	肩甲背神経 C4〜6
小菱形筋 rhomboid minor muscle	第6〜7頸椎の棘突起，項靱帯下部	肩甲骨内側縁	肩甲背神経 C4〜6

補助筋
肩甲挙筋，僧帽筋，小胸筋

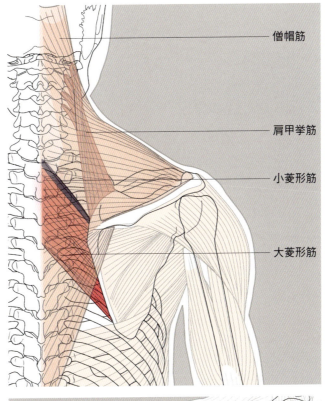

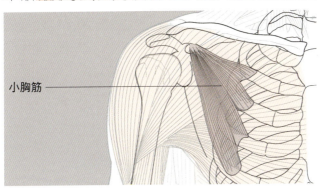

Ⅱ 固定と抵抗

1. 体幹伸展・回旋による代償動作が起こりやすいため，非検査側の体幹背側面を検者の前腕にて固定する．
2. 段階2〜0の検査肢位を座位で行う際は，体幹背側面だけではなく体幹前面からも固定する．
3. 必ず肩甲骨内側縁および肩甲骨下角を触知し運動を確認する．
4. 上腕骨遠位部に抵抗をかける際は，検者の手で被検者の上腕骨遠位部を把持し，まっすぐ下方へ抵抗を加える．
5. 肩甲骨外側縁に抵抗をかける際は，検者の手で被検者の肩甲骨外側縁を把持し，下方かつ外側へ抵抗を加える．

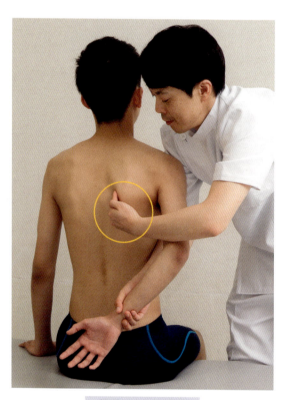

段階2〜0の固定

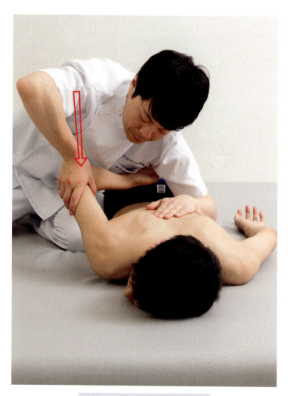

抵抗部位と抵抗方向

第3章 上肢

III 検査方法

良（fair）：3	
検査肢位	腹臥位
固　定	非検査側の体幹背側面と検査側の肩関節前面
検　査	検者は検査側の手のひらを上に向けて腰にのせさせる．被検者に手の甲を腰から離すように肩甲骨を内転・下方回旋で保持させる

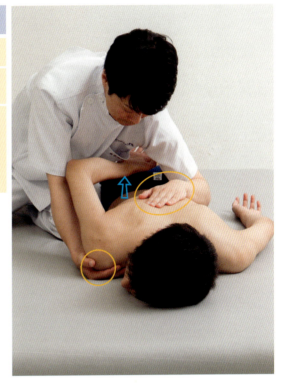

正常（normal）：5 ◆ 優（good）：4	
検査肢位	腹臥位
固　定	非検査側の体幹背側面
抵抗部位	上腕遠位部または肩甲骨外側縁
検　査	5：被検者に段階3の終了肢位を保持させる．検者の最大抵抗に打ち勝ち，その肢位が保持可能である 4：被検者に段階3の終了肢位を保持させる．検者の中等度抵抗に打ち勝ち，その肢位が保持可能である

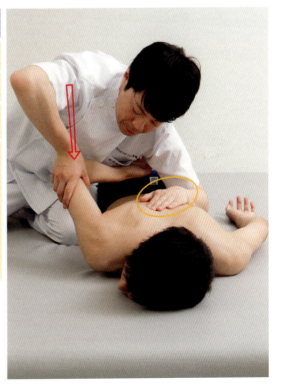

第3章　上肢

可 (poor)：2	
検査肢位	座位
固　　定	非検査側の体幹背側面および検査側の前腕を下から支える
検　　査	被検者に検査側の手のひらを上に向けて腰にのせさせる．被検者に手の甲を腰から離すように肩甲骨を内転・下方回旋させ，全運動範囲で運動が可能かを確認する

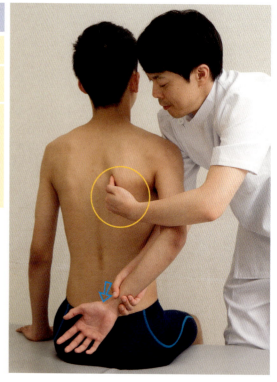

不可 (trace)：1 ◆ ゼロ (zero)：0	
検査肢位	座位
固　　定	非検査側の体幹背側面および検査側の前腕を下から支える
検　　査	1：被検者に検査側の手のひらを上に向けて腰にのせさせる．被検者に手の甲を腰から離すように肩甲骨を内転・下方回旋させると，菱形筋の筋収縮が触知できる 0：筋収縮を認めない

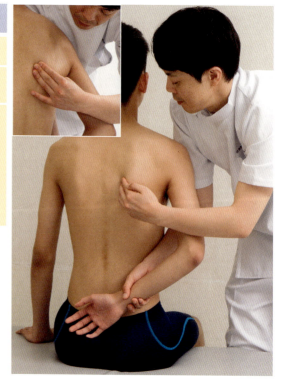

Ⅳ 代償動作

1 主動作筋が弱い場合，体幹伸展・回旋による代償動作が起こりやすいので注意する．
2 手の甲を腰から離さず，肩関節伸展による肘関節挙上の代償動作が起こるので注意する．

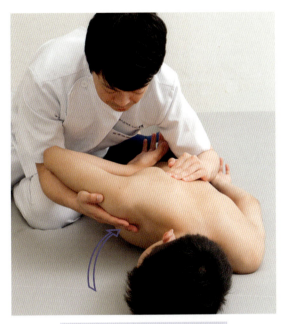

体幹伸展・回旋による代償

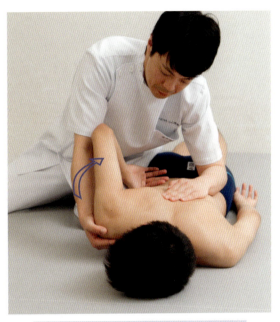

肩関節伸展による肘関節挙上の代償

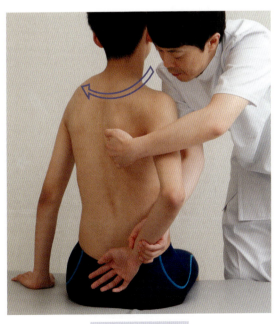

段階2の代償

V *Advance*

- 抵抗をかける部位に関しては，負荷の関係から上腕骨へかける方法よりも肩甲骨外側縁を抵抗部位としたほうがよい．

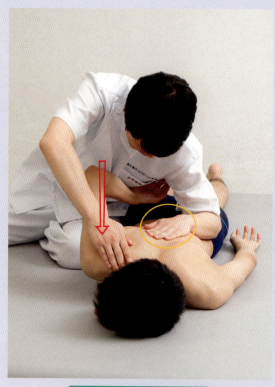

肩甲骨外側縁への抵抗

6 広背筋（肩甲骨下制）

参考可動域なし

I 主動作筋

筋　名	起　始	停　止	神　経
広背筋 latissimus muscle	下部胸椎・腰椎・仙椎棘突起，腸骨稜，下部肋骨，肩甲骨下角，胸腰筋膜	上腕骨小結節稜	胸背神経 C6〜8
大円筋 teres major muscle	肩甲骨下角	上腕骨小結節稜	肩甲下神経 C5〜7
三角筋 deltoid muscle	鎖骨，肩峰，肩甲棘	上腕骨三角筋粗面	腋窩神経 C5〜6

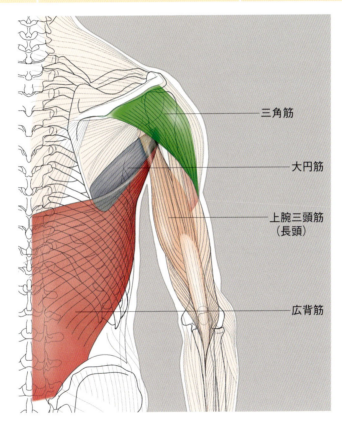

第3章 上肢

Ⅱ 固定と抵抗

1 特に固定は行わない．
2 抵抗をかける際は，検者の手で被検者の前腕遠位部を把持し，外転および少し屈曲（外方かつ下方）の方向へ抵抗を加える．

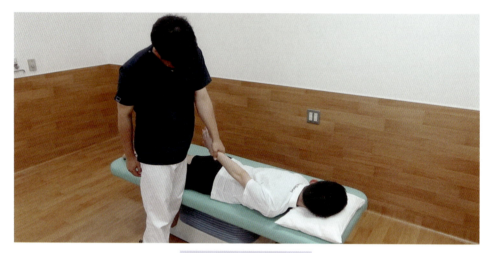

抵抗部位と抵抗方向

第3章　上肢

Ⅲ　検査方法

良（fair）：3　◆　正常（normal）：5　◆　優（good）：4
可（poor）：2　◆　不可（trace）：1　◆　ゼロ（zero）：0

検査肢位	腹臥位（肩関節内旋位）
固　定	特になし
抵抗部位	上腕骨遠位部
検　査	3：腹臥位で，肩内旋位（手掌を上に向ける），肘伸展位の状態で，肩伸展，内転位（腕は体幹に近い位置）に腕を持ち上げて保持させる 5：段階3の肢位で，検者は，外転および少し屈曲（外方かつ下方）方向へ最大抵抗を加え，抵抗に抗してその位置を保つ 4：段階3の肢位で，中程度の抵抗に抗してその位置を保つ 2：段階3の肢位で，動きを観察できるが，全可動域を動かせない 1：段階3の肢位で，検者は腰のすぐ上の胸壁の外側面で（両側で）広背筋の筋収縮を触知する 0：筋収縮を認めない

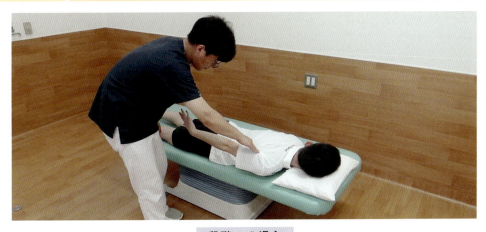

段階3の場合

段階4～5の場合

75

第3章 上肢

IV 代償動作

1 体幹側屈による代償動作が起こりやすいので注意する．

体幹側屈による代償

V *Advance*

・段階5には座位での別法があり，被検者に両手を股関節近くで検査台の上に置かせる．殿部を持ち上げることが可能な場合は段階5と判定する．なお，座位での別法では検者は被検者の広背筋を触知する．

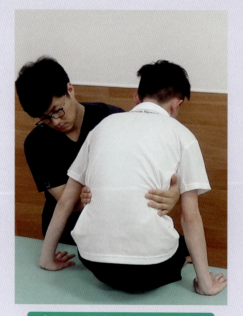

座位での検査（段階5の場合）

7 肩関節屈曲

参考可動域　180°

I 主動作筋

筋　名	起　始	停　止	神　経
三角筋（前部） deltoid muscle	鎖骨，肩峰，肩甲棘	上腕骨三角筋粗面	腋窩神経 C5〜6
烏口腕筋 coracobrachialis	肩甲骨烏口突起	上腕骨内側面	筋皮神経 C6〜7
補助筋				
三角筋（中部），大胸筋（鎖骨部線維），上腕二頭筋，前鋸筋，僧帽筋			

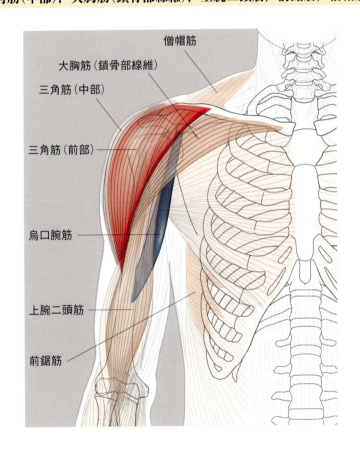

77

第3章 上肢

Ⅱ 固定と抵抗

1 体幹伸展・回旋・側屈や肩甲帯挙上などによる代償動作が起こりやすいため，検査側の体幹背側面や肩甲帯上部を検者の体幹や上肢にて固定する．
2 抵抗をかける部位は，肘関節をまたがぬように上腕骨遠位部とする．
3 抵抗をかける際は，検者の手で被検者の上腕骨遠位部を把持し，肩関節伸展の方向へ抵抗を加える．

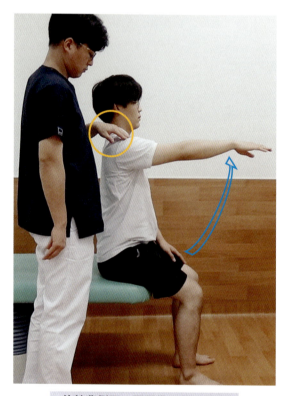

体幹背側面・肩甲帯上部の固定

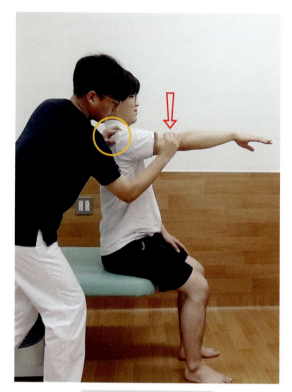

抵抗部位と抵抗方向

第3章 上肢

III 検査方法

良（fair）：3	
検査肢位	座位
固　　定	体幹背側面および肩甲帯上部
検　　査	被検者に肩関節を90°屈曲保持させる（肘関節軽度屈曲位）

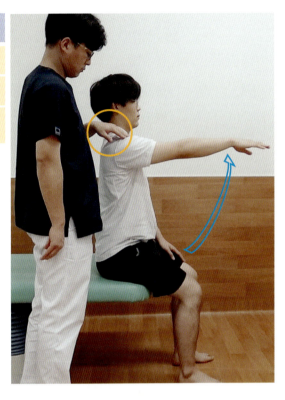

正常（normal）：5 ◆ 優（good）：4	
検査肢位	座位
固　　定	体幹背側面および肩甲帯上部
抵抗部位	上腕骨遠位部
検　　査	5：被検者に段階3の終了肢位を保持させる．検者の最大抵抗に打ち勝ち，その肢位が保持可能である 4：被検者に段階3の終了肢位を保持させる．検者の中等度抵抗に打ち勝ち，その肢位が保持可能である

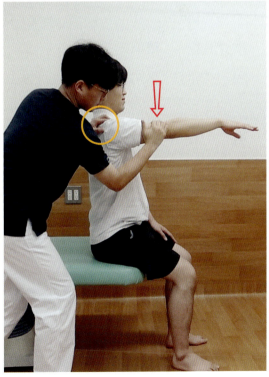

第3章 上肢

可 (poor)：2	
検査肢位	側臥位
固定	体幹背側面および肩甲帯上部
検査	被検者に肩関節を屈曲させ，全運動範囲で運動が可能かを確認する

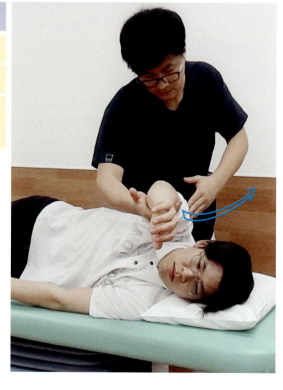

不可 (trace)：1 ◆ ゼロ (zero)：0	
検査肢位	側臥位
固定	体幹背側面および肩甲帯上部
検査	1：被検者に肩関節を屈曲させると，運動は起こらないが，三角筋前部線維の筋収縮が触知できる 0：筋収縮を認めない

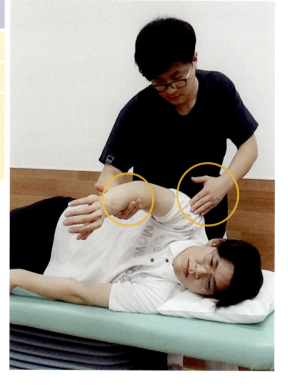

第3章 上肢

IV 代償動作

1 主動作筋が弱い場合，体幹伸展・回旋・側屈や肩甲帯挙上による代償動作が起こりやすいので注意する．
2 肩関節外旋，前腕回外，肘関節屈曲により，上腕二頭筋で代償動作が起こるので注意する．

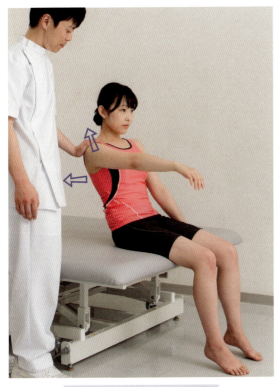

体幹・肩甲帯による代償

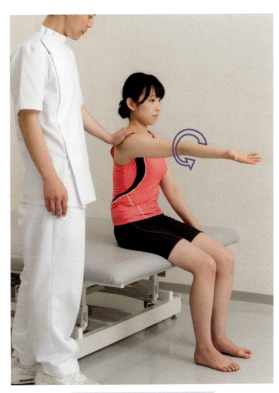

上腕二頭筋による代償

V *Advance*

- 段階2を検査する際に，検査側を上にした側臥位で行う方法もある．この時，検者は被検者の上肢をしっかり把持し重力を除去させる必要がある．なお，全運動範囲に運動可能で段階2となる．

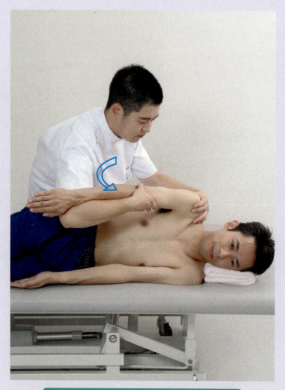

側臥位での検査（段階2の場合）

8 肩関節伸展

参考可動域 50°

I 主動作筋

筋　名	起　始	停　止	神　経
三角筋（後部） deltoid muscle	鎖骨，肩峰，肩甲棘	上腕骨三角筋粗面	腋窩神経 C5〜6
広背筋 latissimus muscle	下部胸椎・腰椎・仙椎棘突起，腸骨稜，下部肋骨，肩甲骨下角，胸腰筋膜	上腕骨小結節稜	胸背神経 C6〜8
大円筋 teres major muscle	肩甲骨下角	上腕骨小結節稜	肩甲下神経 C5〜7
補助筋			
上腕三頭筋（長頭）			

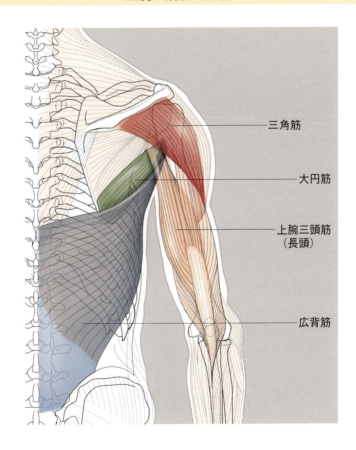

83

第3章　上肢

II　固定と抵抗

1 体幹伸展・回旋による代償動作が起こりやすいため，検査側の体幹背側面をしっかり固定する．
2 抵抗をかける部位は，肘関節をまたがぬように上腕骨遠位部とする．
3 抵抗をかける際は，検者の手で被検者の上腕骨遠位部を把持し，肩関節屈曲の方向へ抵抗を加える．

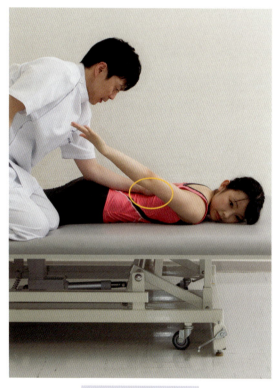

体幹背側面の固定

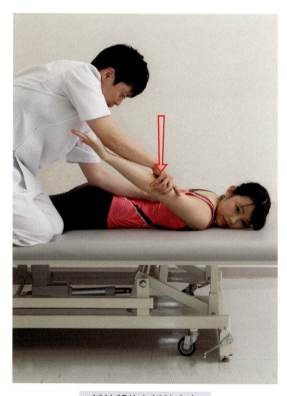

抵抗部位と抵抗方向

第3章 上肢

Ⅲ 検査方法

良（fair）：3	
検査肢位	腹臥位（検査側に頸部回旋位）
固　定	体幹背側面
検　査	被検者に手のひらを上に向けさせ，肩関節を伸展保持させる

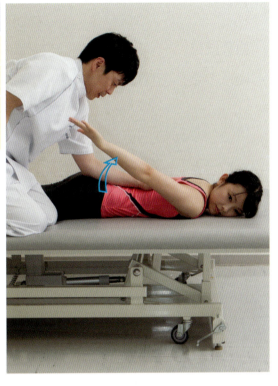

正常（normal）：5 ◆ 優（good）：4	
検査肢位	腹臥位（検査側に頸部回旋位）
固　定	体幹背側面
抵抗部位	上腕骨遠位部
検　査	5：被検者に段階3の終了肢位を保持させる．検者の最大抵抗に打ち勝ち，その肢位が保持可能である 4：被検者に段階3の終了肢位を保持させる．検者の中等度抵抗に打ち勝ち，その肢位が保持可能である

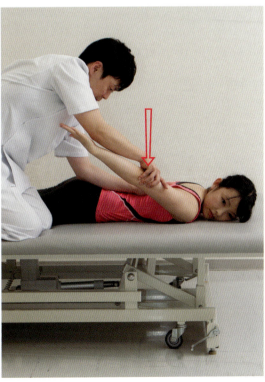

85

第3章 上肢

可（poor）：2	
検査肢位	腹臥位（検査側に頸部回旋位）
固　　定	体幹背側面
検　　査	被検者に手のひらを上に向けさせ，肩関節を伸展させる．この時，抗重力下でわずかでも運動が起こるかを確認する

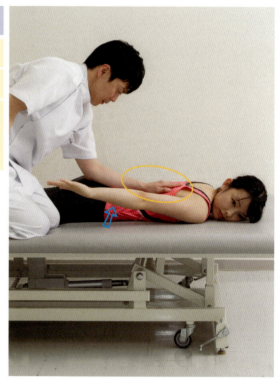

不可（trace）：1 ◆ ゼロ（zero）：0	
検査肢位	腹臥位（検査側に頸部回旋位）
固　　定	体幹背側面
検　　査	1：被検者に手のひらを上に向けさせ，肩関節を伸展させると，運動は起こらないが三角筋後部線維，広背筋，大円筋の筋収縮が触知できる 0：筋収縮を認めない

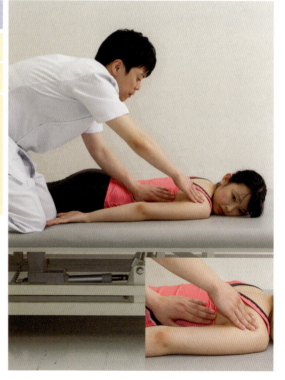

Ⅳ 代償動作

1 主動作筋が弱い場合，体幹伸展・回旋による代償動作が起こりやすいので注意する．

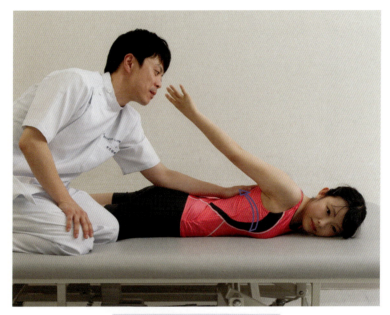

体幹伸展・回旋による代償

V *Advance*

・段階2を検査する際に，検査側を上にした側臥位で行うこともある．この時，検者は被検者の上肢をしっかり支持し重力を除去させる必要がある．なお，全運動範囲に運動可能で段階2となる．

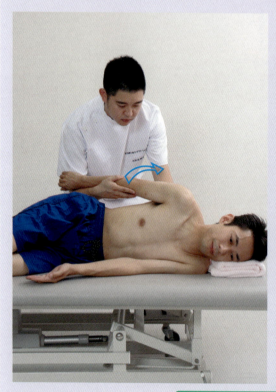 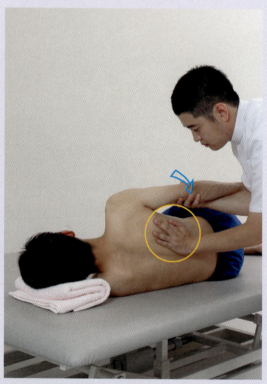

側臥位での測定（段階2の場合）

9 肩関節外転

参考可動域 180°

I 主動作筋

筋 名	起 始	停 止	神 経
三角筋（中部） deltoid muscle	鎖骨，肩峰，肩甲棘	上腕骨三角筋粗面	腋窩神経 C5〜6
棘上筋 supraspinatus muscle	肩甲骨棘上窩	上腕骨大結節	肩甲上神経 C5

補助筋
上腕二頭筋（長頭）

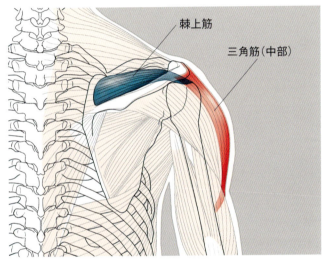

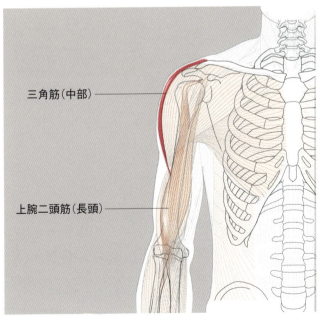

Ⅱ 固定と抵抗

1 体幹伸展・回旋・側屈や肩甲帯挙上などによる代償動作が起こりやすいため，検査側の肩甲帯上部の固定や被検者の上肢を用いて固定する．
2 抵抗をかける部位は，肘関節をまたがぬように上腕骨遠位部とする．
3 抵抗をかける際は，検者の手で被検者の上腕骨遠位部を把持し，肩関節内転の方向へ抵抗を加える．

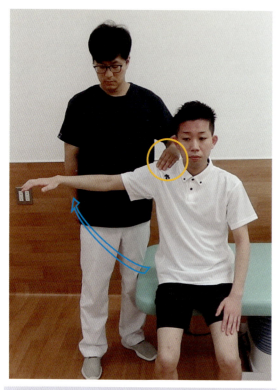

肩甲帯上部の固定と被検者の上肢を用いた固定

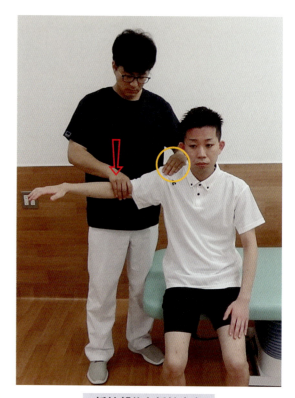

抵抗部位と抵抗方向

Ⅲ 検査方法

良（fair）：3	
検査肢位	座位
固　定	体幹背側面および肩甲帯上部
検　査	被検者に肩関節を90°外転保持させる（肘関節軽度屈曲位）

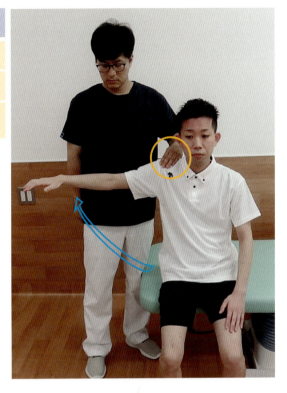

正常（normal）：5 ◆ 優（good）：4	
検査肢位	座位
固　定	体幹背側面および肩甲帯上部
抵抗部位	上腕骨遠位部
検　査	5：被検者に段階3の終了肢位を保持させる．検者の最大抵抗に打ち勝ち，その肢位が保持可能である 4：被検者に段階3の終了肢位を保持させる．検者の中等度抵抗に打ち勝ち，その肢位が保持可能である

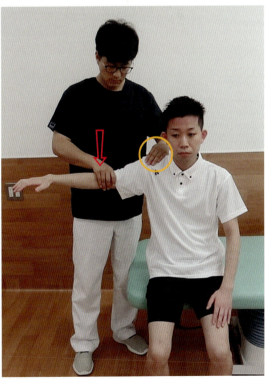

第3章 上肢

可 (poor)：2	
検査肢位	背臥位
固　　定	なし
検　　査	被検者に肘関節軽度屈曲位で肩関節を外転させ，全運動範囲で運動が可能かを確認する．肘関節伸展位では肩を90°まで挙上できない

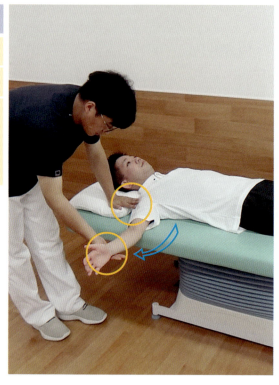

不可 (trace)：1 ◆ ゼロ (zero)：0	
測定肢位	背臥位
固　　定	なし
検　　査	1：検者は被検者の肩関節を外転90°で支え被検者に外転保持をさせると，運動は起こらないが，三角筋中部線維および棘上筋の筋収縮が触知できる 0：筋収縮を認めない

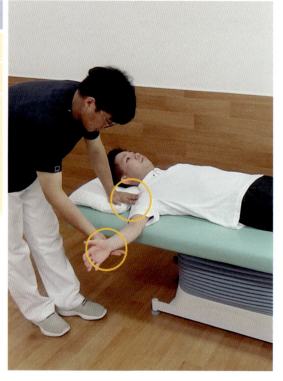

第3章 上肢

Ⅳ 代償動作

1 主動作筋が弱い場合，体幹伸展・側屈，肩甲骨挙上による代償動作が起こりやすいので注意する．
2 肩関節外旋，前腕回外，肘関節屈曲により，上腕二頭筋で代償動作が起こるので注意する．

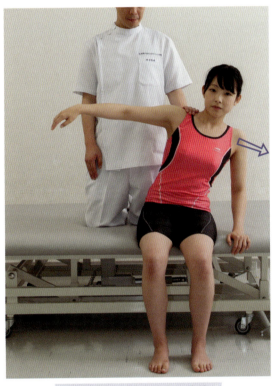

体幹伸展・側屈による代償

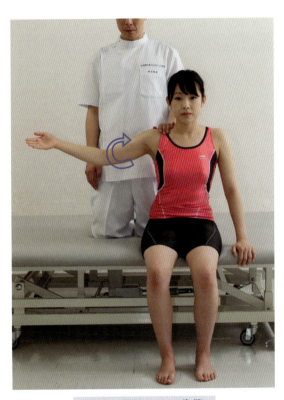

上腕二頭筋による代償

Ⅴ *Advance*

・段階2と1を検査する際に，背臥位で行うこともある．この時，検者は被検者の肘関節をしっかり把持し重力の除去およびベッドの摩擦をなくす必要がある．なお，全運動範囲に運動可能で段階2となる．

10 肩関節外旋

上肢

参考可動域 60°

I 主動作筋

筋　名	起　始	停　止	神　経
棘下筋 infraspinatus muscle	肩甲骨棘下窩	上腕骨大結節	肩甲上神経 C5〜6
小円筋 teres minor muscle	肩甲骨外側縁	上腕骨大結節	腋窩神経 C5
補助筋			
三角筋後部線維			

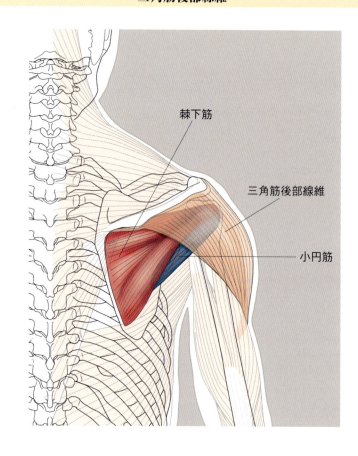

第3章　上肢

II 固定と抵抗

1. 抵抗時に検査側の肩関節が内転し，外旋の回転軸がずれることがあるので，検査側の肘関節周囲をしっかり固定する．
2. 抵抗をかける部位は，前腕遠位部とする．
3. 抵抗をかける際は，検者の手で被検者の前腕遠位部を把持し，肩関節内旋の方向へ抵抗を加える．
4. 外旋の検査は，肩関節が損傷を受けやすく，抵抗部位も関節をまたぎ梃子が長くなることから，抵抗を加える際は注意する．

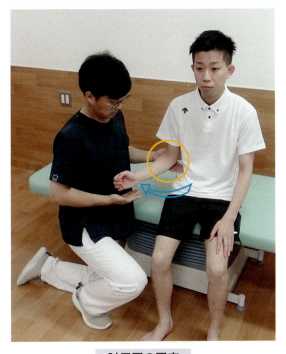

肘周囲の固定

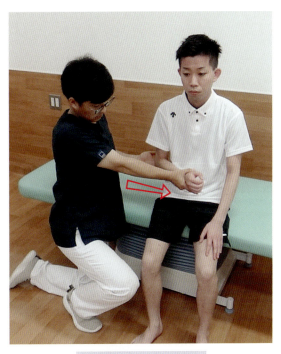

抵抗部位と抵抗方向

Ⅲ 検査方法

良（fair）：3	
検査肢位	端座位
固　　定	肘関節周囲
検　　査	3：肩関節外転0°，肘90°屈曲位から肩関節外旋させ，全可動域を動かせる（前腕を腹部から離すように動かす）

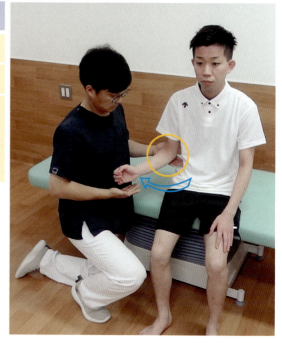

正常（normal）：5 ◆ 優（good）：4	
検査肢位	端座位
固　　定	肘関節周囲
抵抗部位	前腕遠位部
検　　査	5：被検者に段階3の終了肢位を保持させる．検者の最大抵抗に打ち勝ち，その肢位が保持可能である 4：被検者に段階3の終了肢位を保持させる．検者の中等度抵抗に打ち勝ち，その肢位が保持可能である

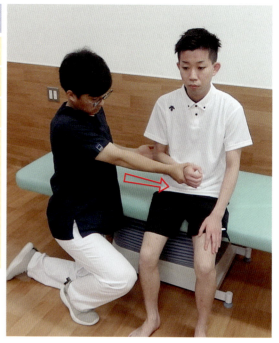

第3章　上肢

可（poor）：2

検査肢位	座位
固　定	肩甲帯および胸郭背側面
検　査	検者は被検者の前腕を下方から支持し，被検者に肩関節中間位，肘関節90°屈曲位，前腕中間位をとらせ，前腕を腹部から離させる．可動域の一部を動かすことができるかを確認する

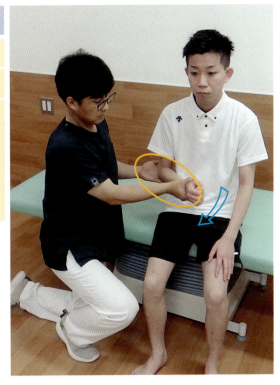

不可（trace）：1 ◆ ゼロ（zero）：0

検査肢位	座位
固　定	特になし
検　査	1：検者は被検者の前腕を下方から支持し，被検者に肩関節中間位，肘関節90°屈曲位，前腕中間位をとらせ，前腕を腹部から離すように，肩関節を外旋させると，運動は起こらないが棘下筋および小円筋の筋収縮が触知できる 0：筋収縮を認めない

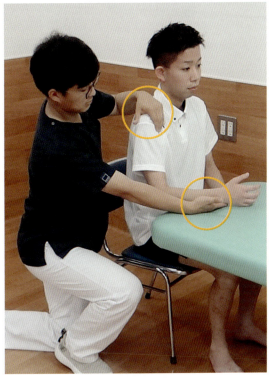

Ⅳ 代償動作

1. 主動作筋が弱い場合，頭部・体幹の回旋，肩甲骨内転による代償動作が起こりやすいので注意する．
2. 段階2の場合，前腕回外にて代償動作が起こることがあるので，検査時は肩関節が外旋しているかどうかを確認する．
3. 座位では，体幹後方回旋および肩関節内転・外転および前腕回外の代償動作が起こりやすいので注意する．

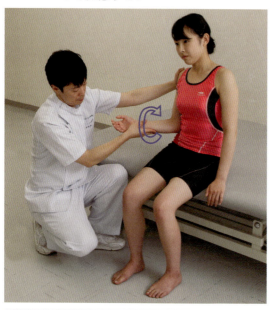

座位での体幹後方回旋，前腕回外による代償

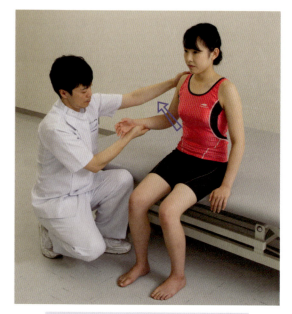

肩関節外転，前腕回外による代償

V *Advance*

- 外旋の検査時は肩関節が損傷を受けやすく，抵抗部位も関節をまたぎ梃子が長くなることから，抵抗を加える際には指2本で加えるべきであるとの報告もある．
- 段階4，5には座位での別法があり，被検者に肩関節内旋位，肘関節90°屈曲位，前腕中間位をとらせ，検者は検査側の肘を固定し，被検者に肩関節外旋方向へ力を入れさせる．段階4，5においては前腕遠位部背側面に抵抗を加える．

座位での測定（段階4，5の場合）

11 肩関節内旋

参考可動域 80°

I 主動作筋

筋　名	起　始	停　止	神　経
肩甲下筋 subscapularis muscle	肩甲下窩	上腕骨小結節	肩甲下神経 C5〜7
大円筋 teres major muscle	肩甲骨下角	上腕骨小結節稜	肩甲下神経 C5〜7
広背筋 latissimus dorsi muscle	下部胸椎・腰椎・仙椎棘突起，腸骨稜，下部肋骨，肩甲骨下角，胸腰筋膜	上腕骨小結節稜	胸背神経 C6〜8
大胸筋 pectoralis major muscle	鎖骨，胸骨，第1〜6肋軟骨，腹直筋鞘	上腕骨大結節稜	内側・外側胸筋神経 C5〜Th1
補助筋			
三角筋前部線維			

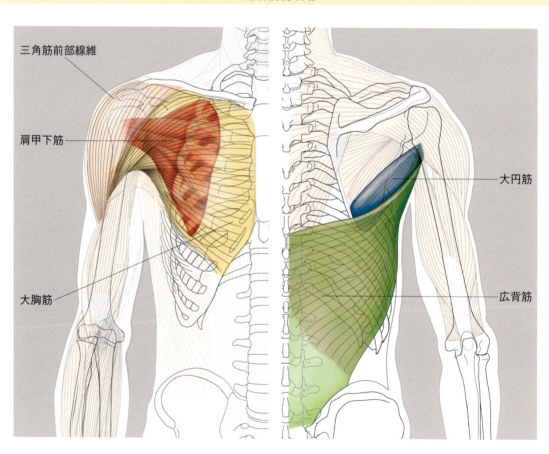

第 3 章　上肢

II　固定と抵抗

1. 抵抗時に検査側の肩関節が内転し，内旋の回転軸がずれることがあるので，検査側の肘関節周囲をしっかり固定する．
2. 抵抗をかける部位は，前腕遠位部とする．
3. 抵抗をかける際は，検者の手で被検者の前腕遠位部を把持し，肩関節外旋の方向へ抵抗を加える．
4. 内旋の検査は，肩関節が損傷をうけやすく，抵抗部位も関節をまたぎ梃子が長くなることから，抵抗を加える際は注意する．

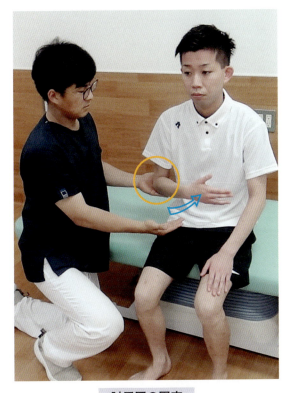

肘周囲の固定

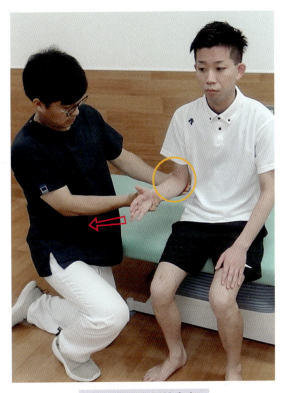

抵抗部位と抵抗方向

第3章 上肢

Ⅲ 検査方法

良（fair）：3	
検査肢位	端座位
固　　定	肘関節周囲
検　　査	3：肩関節外転0°，肘90°屈曲位から肩関節内旋させ，全可動域を動かせる

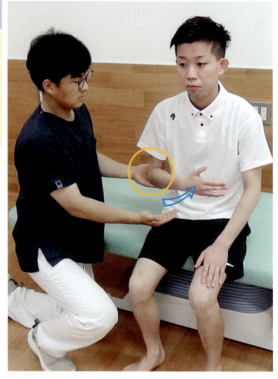

正常（normal）：5 ◆ 優（good）：4	
検査肢位	端座位
固　　定	肘関節周囲
抵抗部位	前腕遠位部
検　　査	5：被検者に段階3の終了肢位を保持させる．検者の最大抵抗に打ち勝ち，その肢位が保持可能である 4：被検者に段階3の終了肢位を保持させる．検者の中等度抵抗に打ち勝ち，その肢位が保持可能である

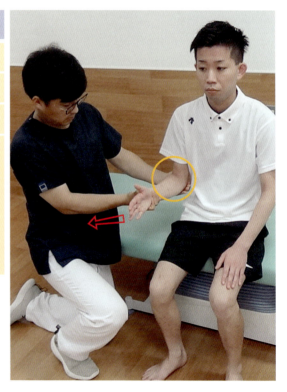

可（poor）：2	
検査肢位	座位
固　定	肩甲帯および胸郭腹側面
検　査	検者は被検者の前腕を下方から支持し，被検者に肩関節中間位，肘関節90°屈曲位，前腕中間位をとらせ，その後，肩関節を内旋させた際に可動域の一部を動かすことができるかを確認する

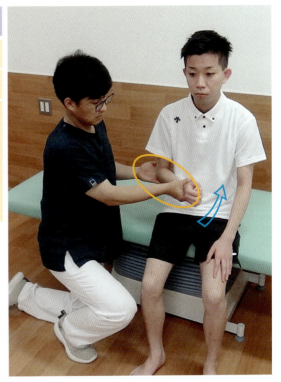

不可（trace）：1 ◆ ゼロ（zero）：0	
検査肢位	座位
固　定	特になし
検　査	1：検者は被検者の前腕を下方から支持し，被検者に肩関節中間位，肘関節90°屈曲位，前腕中間位をとらせ，肩関節を内旋させると，運動は起こらないが肩甲下筋の筋収縮が触知できる 0：筋収縮を認めない

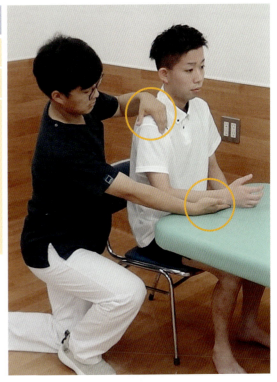

第3章 上肢

IV 代償動作

1 主動作筋が弱い場合，頭部・体幹の回旋，肩甲骨内転による代償動作が起こりやすいので注意する．
2 段階2の場合，前腕回内にて代償動作が起こることがあるので，測定時は肩関節が内旋しているかどうかを確認する．
3 座位では，体幹前方回旋および肩関節外転の代償動作が起こりやすいので注意する．

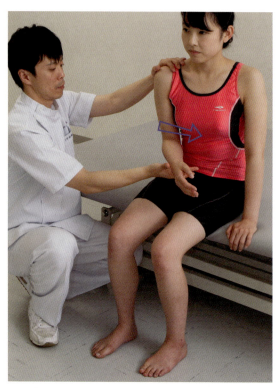

座位での体幹前方回旋・前腕回内による代償
（段階2の場合）

12 肩関節水平外転（伸展）

参考可動域　30°

I　主動作筋

筋　名	起　始	停　止	神　経
三角筋（後部） deltoid muscle	鎖骨，肩峰，肩甲棘	上腕骨三角筋粗面	腋窩神経 C5〜6
補助筋			
棘下筋，小円筋			

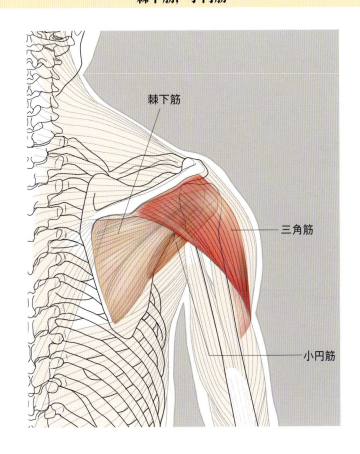

第3章　上肢

Ⅱ　固定と抵抗

1 体幹伸展・回旋・側屈や肩甲帯内転などによる代償動作が起こりやすいため，検査側の体幹背側面および肩甲帯周囲筋が弱化している場合は肩甲帯も固定する．
2 抵抗をかける部位は，肘関節をまたがぬように上腕骨遠位部とする．
3 抵抗をかける際は，検者の手で被検者の上腕骨遠位部を把持し，まっすぐ下方へ抵抗を加える．

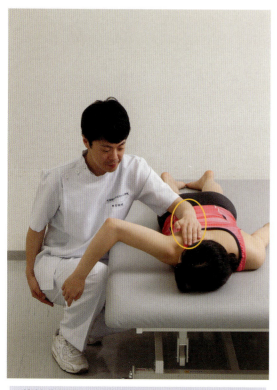

体幹背側面・肩甲骨の固定（段階3の場合）

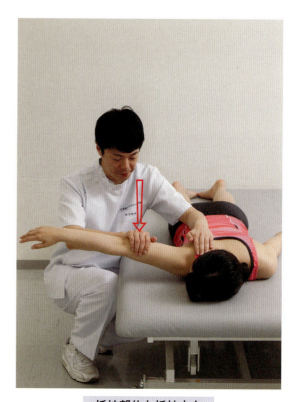

抵抗部位と抵抗方向

Ⅲ 検査方法

良（fair）：3	
検査肢位	腹臥位
固　　定	体幹背側面と肩甲帯
検　　査	検者は検査側の肘関節を90°屈曲させ，前腕をベッドから下ろさせる．その後，被検者に肩関節を水平外転で保持させる

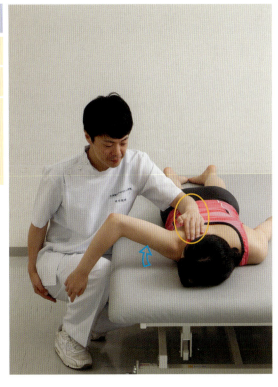

正常（normal）：5 ◆ 優（good）：4	
検査肢位	腹臥位
固　　定	体幹背側面と肩甲帯
抵抗部位	上腕骨遠位部
検　　査	5：被検者に段階3の終了肢位を肘関節伸展させた位置で保持させる．検者の最大抵抗に打ち勝ち，その肢位が保持可能である 4：被検者に段階3の終了肢位を肘関節伸展させた位置で保持させる．検者の中等度抵抗に打ち勝ち，その肢位が保持可能である

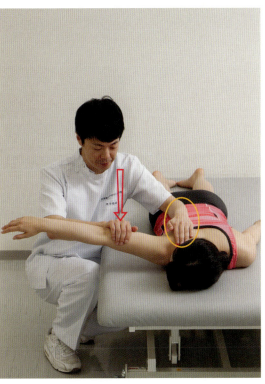

第3章 上肢

可（poor）：2	
検査肢位	座位
固　　定	肩甲帯
検　　査	検者は検査側の肩関節を90°外転，肘関節を90°屈曲させ，上肢を支持し重力を除去する．その後，被検者に肩関節を水平外転させ，全運動範囲で運動が可能かを確認する

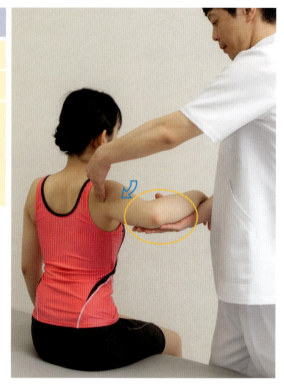

不可（trace）：1 ◆ ゼロ（zero）：0	
検査肢位	座位
固　　定	肩甲帯
検　　査	1：検者は検査側の肩関節を90°外転，肘関節を90°屈曲させ，上肢を支持し重力を除去する．その後，被検者に肩関節を水平外転させると，運動は起こらないが，三角筋後部線維の筋収縮が触知できる 0：筋収縮を認めない

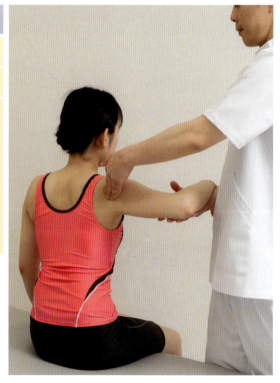

Ⅳ 代償動作

1. 主動作筋が弱い場合，体幹伸展・回旋，肩甲帯内転による代償動作が起こりやすいので注意する．
2. 主動作筋が弱い場合，肘関節が伸展し，上腕三頭筋による代償動作が起こりやすいので注意する．

 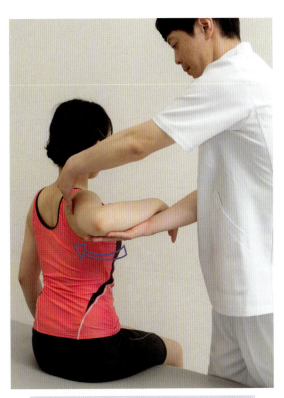

頭部・体幹回旋および肩甲帯内転による代償　　　　体幹回旋および肩甲帯内転による代償

Ⅴ Advance

・肩甲骨内転の測定とは固定部位が異なることに注意する．

上肢

13 肩関節水平内転（屈曲）

参考可動域 135°

I 主動作筋

筋 名	起 始	停 止	神 経
大胸筋 pectoralis major muscle	鎖骨，胸骨，第1～6肋軟骨，腹直筋鞘	上腕骨大結節稜	内側・外側胸筋神経 C5～Th1

補助筋
三角筋（前部）

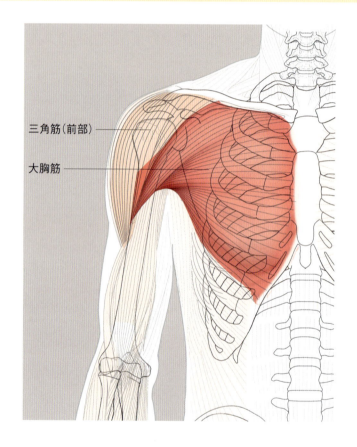

三角筋（前部）
大胸筋

第3章 上肢

II 固定と抵抗

1. 検査側の前腕は検者がしっかりと把持し，力を抜かせる．
2. 抵抗をかける部位は，肘関節をまたがぬように上腕骨遠位部とする．
3. 抵抗をかける際は，検者の手で被検者の上腕骨遠位部を把持し，肩関節水平外転の方向へ抵抗を加える．

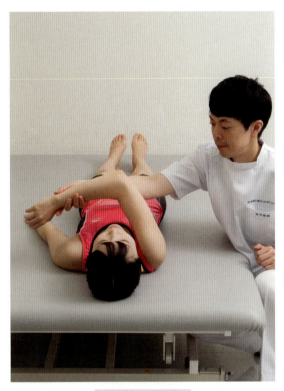

段階3の場合

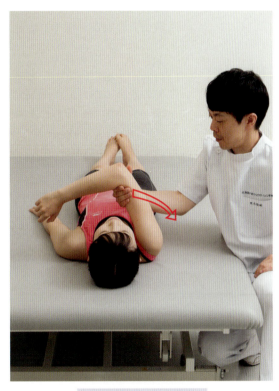

抵抗部位と抵抗方向

第3章 上肢

Ⅲ 検査方法

良（fair）：3	
検査肢位	背臥位
固　　定	特になし
検　　査	検者が被検者の前腕を支持し，被検者に肘関節を90°屈曲位させたまま，肩関節を水平内転させ，全運動範囲で運動が可能かを確認する．①水平内転の運動方向は，大胸筋全体では肩関節90°外転位から検査側上肢を胸の前で横切らせ，②大胸筋鎖骨頭では肩関節60°外転位から検査側上肢を胸の前で上内方へ横切らせ，③大胸筋胸肋頭では肩関節120°外転位から検査側上肢を胸の前で下内方へ横切らせる．この3つの運動方向すべてで全運動が可能な場合を段階3とする

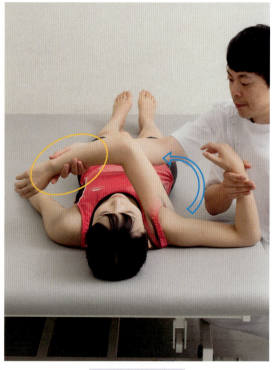

①大胸筋全体

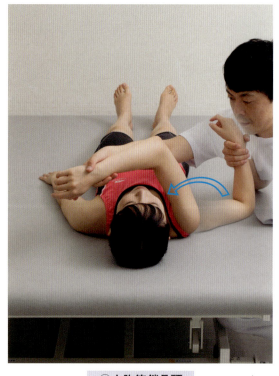

②大胸筋鎖骨頭

第3章 上肢

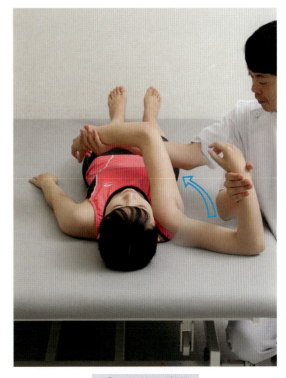

③大胸筋胸肋頭

正常（normal）：5 ◆ 優（good）：4	
検査肢位	背臥位
固　　定	特になし
抵抗部位	上腕骨遠位部
検　　査	5：被検者に段階3の終了肢位（検査側の手が非検査側肩関節の位置，検査側の手が非検査側耳の位置，検査側の手が非検査側の股関節の位置）で保持させる．検者の最大抵抗に打ち勝ち，その肢位が保持可能である 4：被検者に段階3の終了肢位（検査側の手が非検査側肩関節の位置，検査側の手が非検査側耳の位置，検査側の手が非検査側の股関節の位置）で保持させる．検者の中等度抵抗に打ち勝ち，その肢位が保持可能である

第3章　上肢

可（poor）：2	
検査肢位	座位
固　定	体幹
検　査	検者は検査側の肩関節を90°外転，肘関節を屈曲させ，上肢を支持し重力を除去する．その後，被検者に肩関節を水平内転させ，全運動範囲で運動が可能かを確認する

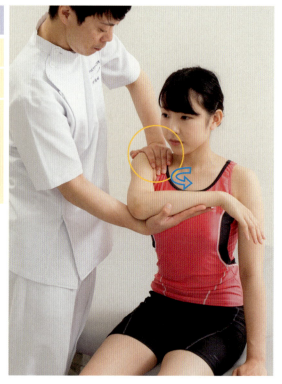

不可（trace）：1　ゼロ（zero）：0	
検査肢位	座位
固　定	体幹
検　査	1：検者は検査側の肩関節を90°外転，肘関節を屈曲させ，上肢を支持し重力を除去する．その後，被検者に肩関節を水平内転させると，運動は起こらないが大胸筋の筋収縮が触知できる 0：筋収縮を認めない

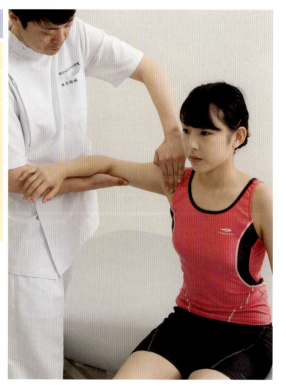

第3章 上肢

IV 代償動作

1 主動作筋が弱い場合，肘関節が屈曲し，上腕二頭筋による代償動作が起こりやすい．検査時は，上腕二頭筋の力を抜かせるようにする．
2 主動作筋が弱い場合，頸部・体幹の回旋による代償動作が起こりやすいので注意する．

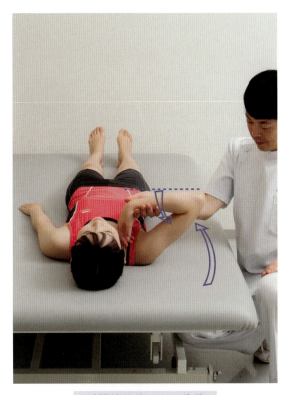

肘関節屈曲による代償

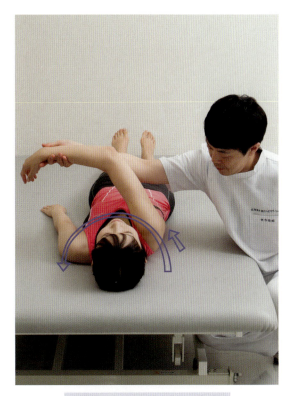

頸部・体幹回旋による代償

第3章 上肢

V *Advance*

- 大胸筋には胸肋頭線維と鎖骨頭線維があり，それぞれの神経支配髄節が違うため，それぞれ検査し，全体的な検査も行う．
- 抵抗時に非検査側の肩から前方へ回旋が起こることがあるので，非検査側の肩周囲を固定してもよい．

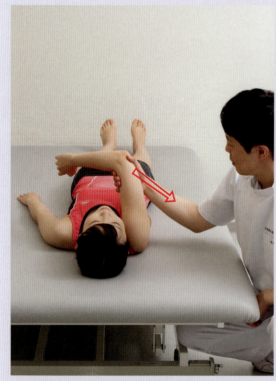

鎖骨部線維の検査（上外側へ抵抗）

腹部線維の検査（下外側へ抵抗）

14 肘関節屈曲

参考可動域 145°

I 主動作筋

筋 名	起 始	停 止	神 経
上腕二頭筋 biceps brachii muscle	長頭：肩甲骨関節上結節 短頭：肩甲骨烏口突起	橈骨粗面，前腕筋膜，尺骨（上腕二頭筋腱膜を経て）	筋皮神経 C5〜6
上腕筋 brachialis muscle	上腕骨前面	尺骨粗面	筋皮神経（ときに橈骨神経） C5〜6
腕橈骨筋 brachioradialis muscle	上腕骨外側縁，外側上腕筋間中隔	橈骨茎状突起	橈骨神経 C(5)6,7(8)
補助筋			
円回内筋，手関節屈筋群			

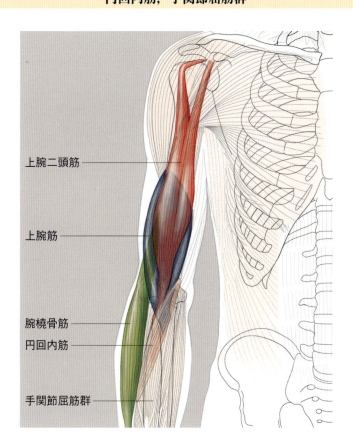

第3章 上肢

II 固定と抵抗

1. 段階3以下の場合，肩関節伸展などによる代償動作が起こりやすいため，検査側の肘関節を背面から把持し固定する．
2. 段階5，4の場合，肘関節屈曲に伴い体幹前傾が起こるため，検査側の肩関節から胸郭にかけての前面部を固定する．
3. 抵抗をかける部位は，手関節をまたがぬように前腕遠位部とする．
4. 抵抗をかける際，検者の手で被検者の前腕遠位部を把持し，やや下方に抵抗を加える．この時，上肢の屈曲が起こるため抵抗の方向には注意する．

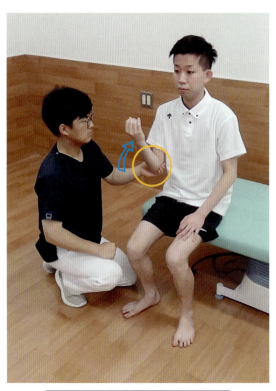

肘関節を背面から把持した固定

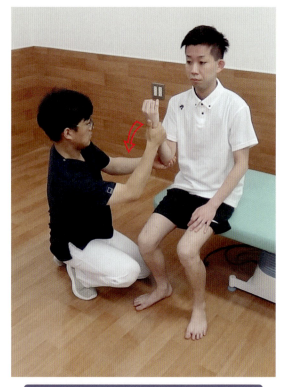

肩関節から胸部にかけての前面部の固定および抵抗部位と抵抗方向

第3章　上肢

Ⅲ　検査方法

良（fair）：3	
検査肢位	座位
固　定	肘関節背面
検　査	被検者に肘関節を最大屈曲で保持させる

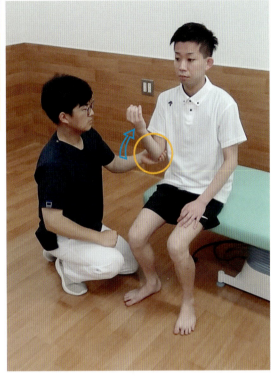

正常（normal）：5 ◆ 優（good）：4	
検査肢位	座位
固　定	肩関節から胸部にかけての前面部
抵抗部位	前腕遠位部
検　査	5：被検者に段階3の終了肢位を保持させる．検者の最大抵抗に打ち勝ち，その肢位が保持可能である 4：被検者に段階3の終了肢位を保持させる．検者の中等度抵抗に打ち勝ち，その肢位が保持可能である

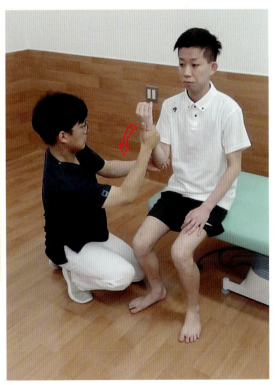

第3章 上肢

可（poor）：2	
検査肢位	座位
固　定	上腕遠位部
検　査	検者は検査側の肩関節を90°外転させ，上肢を保持し重力を除去する．その後，被検者に肘関節を最大屈曲させ，全運動範囲で運動が可能かを確認する．可動域全域でない場合は2⁻と判定する

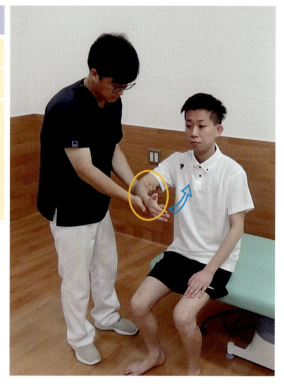

不可（trace）：1 ◆ ゼロ（zero）：0	
検査肢位	側臥位
固　定	前腕遠位部
検　査	1：側臥位で，肘90°屈曲位とし，被検者に肘関節を屈曲させる．検者は肘関節の内側くぼみで上腕二頭筋，上腕骨遠位部で上腕二頭筋の内側で上腕筋，前腕外側で腕橈骨筋の筋収縮を触知する 0：筋収縮を認めない

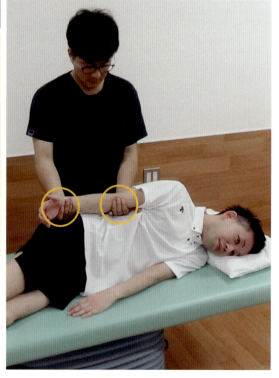

第3章 上肢

Ⅳ 代償動作

1 主動作筋が弱い場合，補助筋である手関節屈筋群が強く働くことがあるので，検査時には手関節の力を抜かせる．
2 主動作筋が弱い場合，体幹回旋，肩甲帯挙上，肩関節伸展などが複合して代償動作が起こることがあるので注意する．

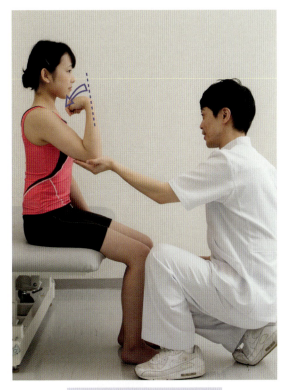

手関節屈筋群による代償

肩甲帯挙上・肩関節伸展による代償

V Advance

- 上腕二頭筋の筋活動を優位に検査する場合は前腕を回外位とし，腕橈骨筋の筋活動を優位に検査する場合は前腕を基本肢位とし，さらに上腕筋の筋活動を優位に検査する場合は前腕を回内位として行う．
- 近年の報告では，上腕筋はどの肢位でも常に活動しており，選択的な収縮は困難であるという報告もある．
- 段階 3，4，5 では，肘関節屈曲時に前腕が床に対して垂直位となるまでの肩関節屈曲角度の設定とする．

腕橈骨筋の筋活動を優位に検査する場合
（前腕回内・回外中間位）

上腕筋の筋活動を優位に検査する場合
（前腕回内位）

15 肘関節伸展

参考可動域　5°

I 主動作筋

筋　名	起　始	停　止	神　経
上腕三頭筋 triceps branchii muscle	長頭：肩甲骨関節下結節 外側頭：上腕骨後面 内側頭：上腕骨後面（橈骨神経溝より下方）	肘頭	橈骨神経 C6〜8
補助筋			
肘筋，前腕の伸筋群			

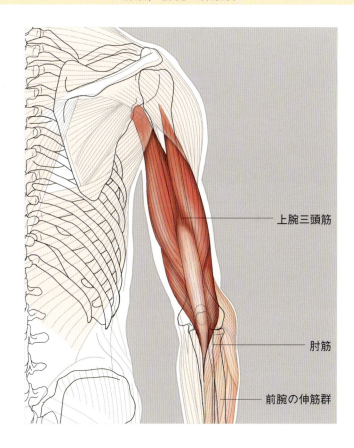

第 3 章　上肢

Ⅱ　固定と抵抗

1　代償動作で肩甲骨内転や肩関節水平伸展が起こる場合があるので，検査側の上腕遠位部腹側を把持し固定する．この時，上腕三頭筋の筋腹や腱を圧迫しないように注意する．
2　抵抗をかける部位は，手関節をまたがぬように前腕遠位部とする．
3　抵抗をかける際は，検者の手で被検者の前腕遠位部を把持し，肘関節屈曲の方向へ抵抗をかける．

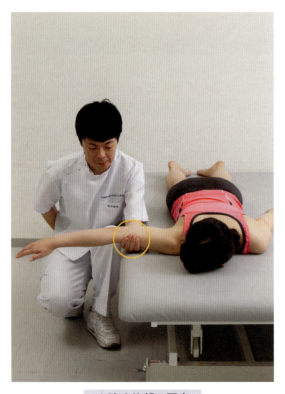

上腕遠位部の固定

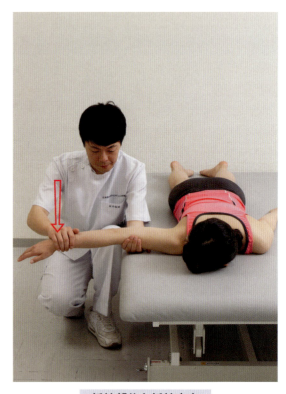

抵抗部位と抵抗方向

第3章 上肢

Ⅲ 検査方法

良（fair）：3	
検査肢位	腹臥位
固定	肘関節
検査	被検者に前腕をベッドから下ろさせ，肘関節を伸展で保持させる

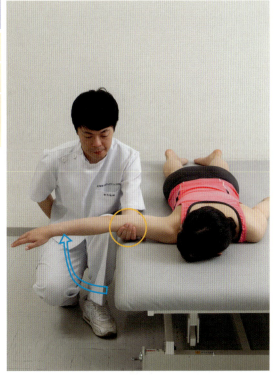

正常（normal）：5 ◆ 優（good）：4	
検査肢位	腹臥位
固定	肘関節
抵抗部位	前腕遠位部
検査	5：被検者に段階3の終了肢位を保持させる．検者の最大抵抗に打ち勝ち，その肢位が保持可能である 4：被検者に段階3の終了肢位を保持させる．検者の中等度抵抗に打ち勝ち，その肢位が保持可能である

125

第3章 上肢

可（poor）：2	
検査肢位	座位
固　　定	上腕遠位部
検　　査	検者は検査側の肩関節を90°外転させ，上腕と肘頭を支持し重力を除去する．その後，被検者に肘関節約135°屈曲位から最大伸展させ，全運動範囲で運動が可能かを確認する．可動域全域でない場合は2⁻と判定する

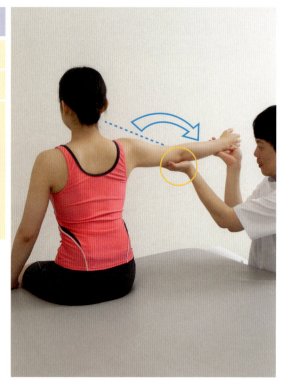

不可（trace）：1 ◆ ゼロ（zero）：0	
検査肢位	座位
固　　定	上腕遠位部
検　　査	1：検者は検査側の肩関節を90°外転させ，上腕と肘頭を保持し重力を除去する．被検者に肘関節約135°屈曲位から伸展をさせると，上腕三頭筋の筋収縮が触知できる 0：筋収縮を認めない

Ⅳ 代償動作

1 主動作筋が弱い場合，肩甲骨内転や肩関節水平外転が起こることがあるのでしっかり固定する．
2 主動作筋が弱い場合，手関節背屈が起こり，補助筋である前腕伸筋群で代償動作が起こることがあるので手首は力を抜かせる．

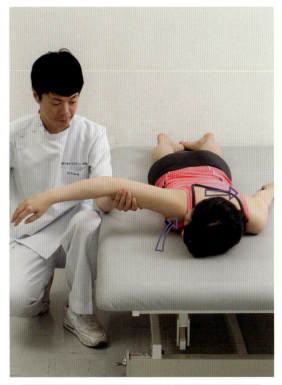

肩甲骨内転・肩関節水平外転による代償

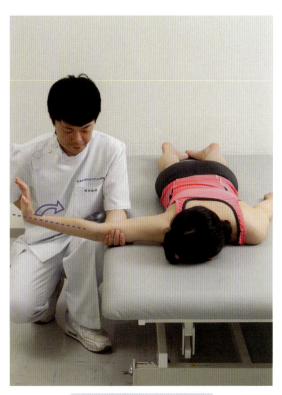

手関節背屈による代償

V *Advance*

・腹臥位や座位が困難な場合は，背臥位で計測を行う方法もある．
・段階4，5では肘関節を軽度屈曲させ，肘関節が伸展ロックしないようにする．

背臥位での検査（段階3の場合）

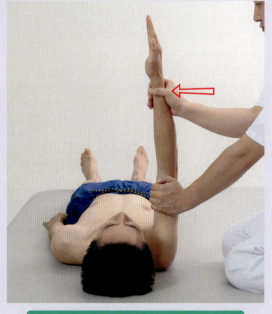

背臥位での検査（段階4，5の場合）

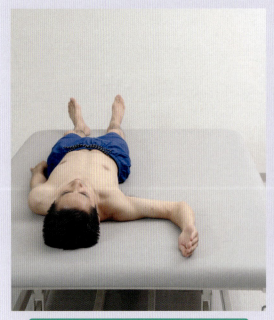

背臥位での検査（段階2の開始肢位）

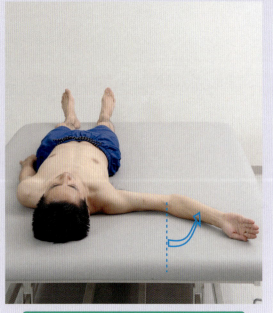

背臥位での検査（段階2の終了肢位）

16 前腕回外

参考可動域 90°

I 主動作筋

筋 名	起 始	停 止	神 経
回外筋 supinator muscle	上腕骨外側上顆，肘関節の靱帯	橈骨前面の近位部	橈骨神経 C(5)6, 7(8)
上腕二頭筋 biceps brachii muscle	長頭：肩甲骨関節上結節 短頭：肩甲骨烏口突起	橈骨粗面，前腕筋膜，尺骨（上腕二頭筋腱膜を経て）	筋皮神経 C5〜6
補助筋				
腕橈骨筋				

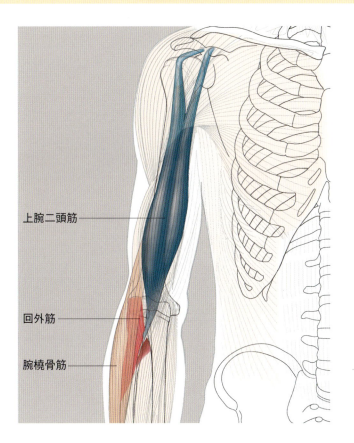

129

第3章 上肢

II 固定と抵抗

1 肩関節屈曲・外旋，肘関節屈曲で代償動作が起こりやすいため，検査側の肘関節をしっかり固定する．
2 抵抗をかける部位は，前腕遠位部の橈骨茎状突起周囲部とする．
3 抵抗をかける際は，検者の手で被検者の前腕遠位部の橈骨茎状突起周囲部を把持し，母指球を用いて前腕回内の方向へ抵抗を加える．

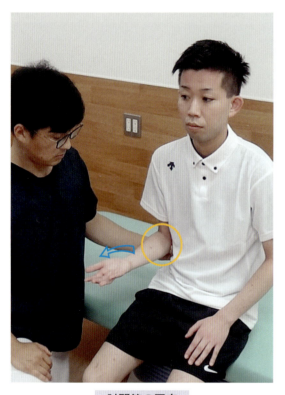

肘関節の固定

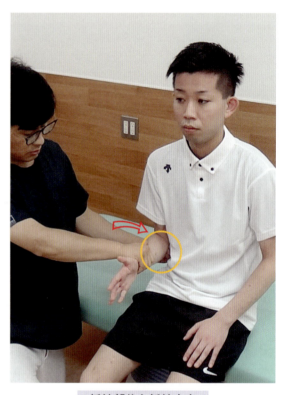

抵抗部位と抵抗方向

第3章 上肢

Ⅲ 検査方法

良（fair）：3	
検査肢位	座位
固　　定	肘関節
検　　査	被検者に肘関節を90°屈曲位，前腕を回内位とさせた位置から，前腕を回外で保持させる

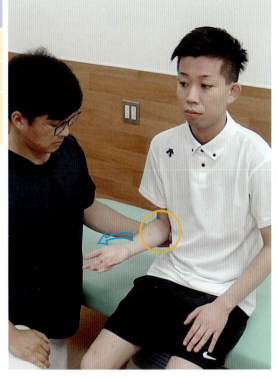

正常（normal）：5 ◆ 優（good）：4	
検査肢位	座位
固　　定	肘関節
抵抗部位	橈骨茎状突起周囲
検　　査	5：被検者に段階3の終了肢位を保持させる．検者の最大抵抗に打ち勝ち，その肢位が保持可能である 4：被検者に段階3の終了肢位を保持させる．検者の中等度抵抗に打ち勝ち，その肢位が保持可能である

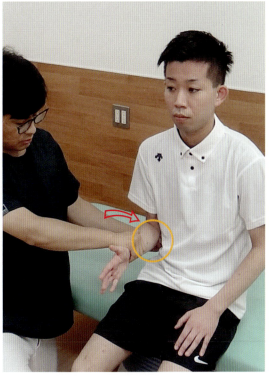

第3章 上肢

可（poor）：2	
検査肢位	座位
固　定	肘関節
検　査	被検者に段階3の肢位で前腕を中間位にさせる．その後，被検者に前腕を回外させ，中間位からの回外が可能かを確認する

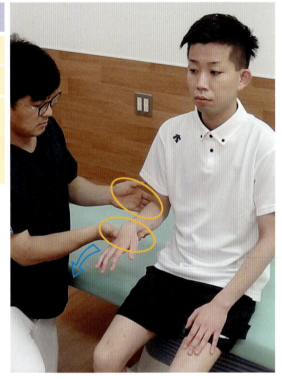

不可（trace）：1 ◆ ゼロ（zero）：0	
検査肢位	座位
固　定	特になし
検　査	1：被検者に段階3の開始肢位を保持させ，検者は検査側の前腕部分を支持する．その後，被検者に前腕を回外させると，運動は起こらないが回外筋および上腕二頭筋の筋収縮が触知できる 0：筋収縮を認めない

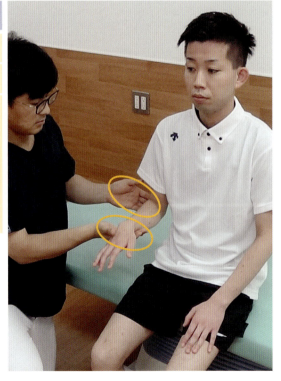

第 3 章　上肢

Ⅳ　代償動作

1　主動作筋が弱い場合，肩関節屈曲・内転・外旋による代償動作が起こることがあるので，しっかり固定する．
2　橈側手根伸筋などの代償動作を防ぐため，手首はできるだけ力を抜かせる．

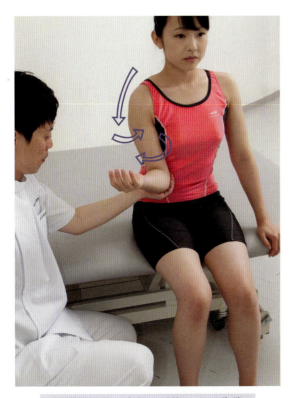

肩関節屈曲・内転・外旋による代償

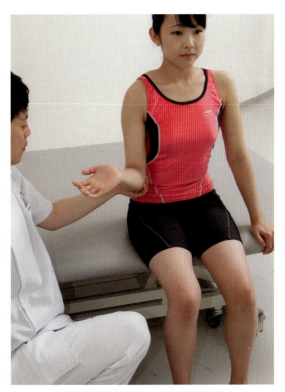

橈側手根伸筋による代償

V *Advance*

・段階 5，4 の際，被検者の手を握り抵抗をかける報告もあるが，手関節を痛める可能性があるので，極力関節はまたがないで抵抗をかけるほうが望ましい．

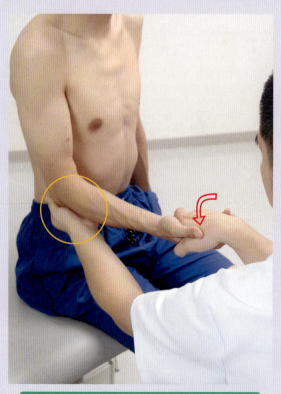

手を握った抵抗方法（段階 5，4 の場合）

17 前腕回内

参考可動域 90°

I 主動作筋

筋 名	起 始	停 止	神 経
円回内筋 pronator teres muscle	上腕頭：上腕骨内側上顆 尺骨頭：尺骨鉤状突起	橈骨外側面	正中神経，ときに筋皮神経 C6, 7
方形回内筋 pronator quadratus muscle	尺骨前面の遠位部	橈骨前面の遠位部	正中神経（前腕骨間神経） C6～Th1
補助筋			
橈側手根屈筋			

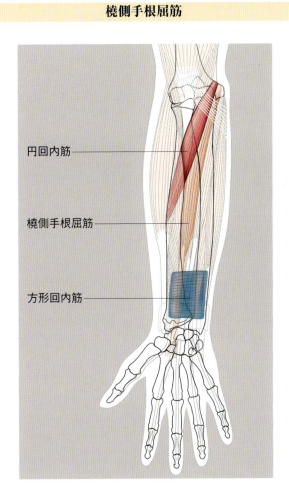

第3章 上肢

Ⅱ 固定と抵抗

1 肩関節外転・内旋，肘関節屈曲で代償動作が起こりやすいため，検査側の肘関節をしっかり固定する．
2 抵抗をかける部位は，前腕遠位部の橈骨茎状突起周囲部とする．
3 抵抗をかける際は，検者の手で被検者の前腕遠位部の橈骨茎状突起周囲部を把持し，母指球を用いて前腕回外の方向へ抵抗を加える．

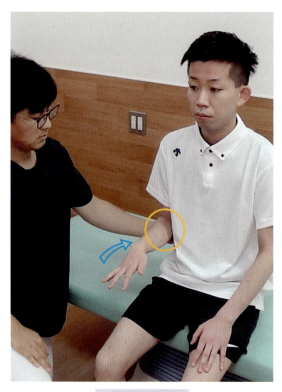

肘関節の固定

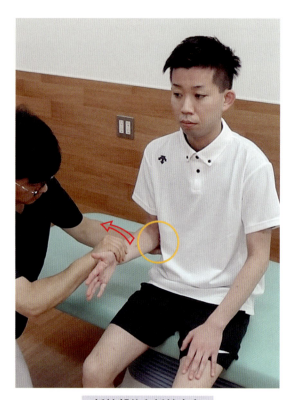

抵抗部位と抵抗方向

第3章 上肢

Ⅲ 検査方法

良（fair）：3	
検査肢位	座位
固　定	肘関節
検　査	被検者に肘関節を90°屈曲位，前腕を回外位にさせた位置から，前腕を回内で保持させる

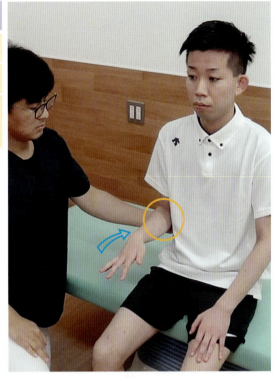

正常（normal）：5 ◆ 優（good）：4	
検査肢位	座位
固　定	肘関節
抵抗部位	橈骨茎状突起周囲
検　査	5：被検者に段階3の終了肢位を保持させる．検者の最大抵抗に打ち勝ち，その肢位が保持可能である 4：被検者に段階3の終了肢位を保持させる．検者の中等度抵抗に打ち勝ち，その肢位が保持可能である

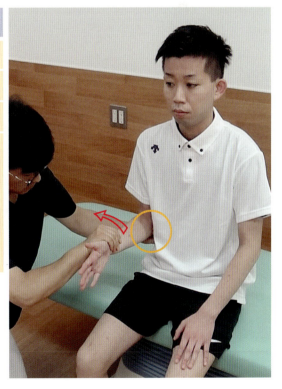

137

第3章 上肢

可（poor）：2

検査肢位	座位
固　定	肘関節
検　査	被検者に段階3の肢位で前腕を中間位にさせる．その後，被検者に前腕を回内させ，中間位からの回内が可能かを確認する

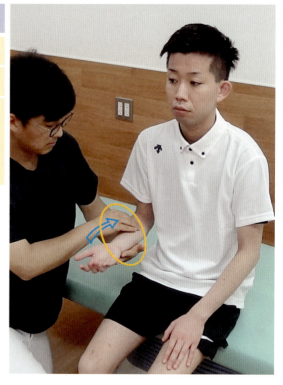

不可（trace）：1 ◆ ゼロ（zero）：0

検査肢位	座位
固　定	肘関節
検　査	1：被検者に段階3の開始肢位を保持させ，検者は検査側の前腕部分を支持する．その後，被検者に前腕を回内させると，運動は起こらないが，円回内筋および方形回内筋の筋収縮が触知できる 0：筋収縮を認めない

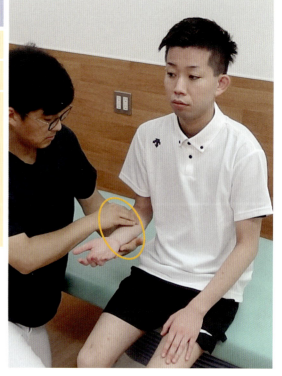

第3章　上肢

Ⅳ　代償動作

1. 主動作筋が弱い場合，肩関節外転・内旋による代償動作が起こることがあるので，しっかり固定する．
2. 橈側手根屈筋などの代償動作を防ぐため，手首はできるだけ力を抜かせる．

肩関節屈曲・内旋による代償

橈側手根屈筋による代償

第3章 上肢

V *Advance*

- 段階5, 4の際, 被検者の手を握り抵抗をかける報告もあるが, 手関節を痛める可能性があるので, 極力関節はまたがないで抵抗をかけるほうが望ましい.

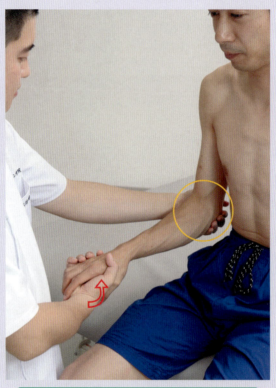

手を握った抵抗方法（段階5, 4の場合）

18 手関節屈曲（掌屈）

参考可動域 90°

I 主動作筋

筋　名	起　始	停　止	神　経
橈側手根屈筋 flexor carpi radialis muscle	上腕骨内側上顆	第2, 3中手骨底の掌側面	正中神経 C6, 7
尺側手根屈筋 flexor carpi ulnaris muscle	上腕頭：上腕骨内側上顆 尺骨頭：肘頭，尺骨後側面	豆状骨，有鉤骨鉤，第5中手骨底	尺骨神経 C7, 8, Th1
補助筋				
長掌筋，浅指屈筋，深指屈筋，長母指外転筋，長母指屈筋			

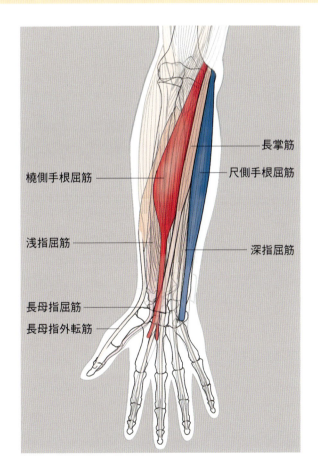

第3章 上肢

II 固定と抵抗

1 主動作筋の筋腹や腱の動きを妨げないように前腕遠位部背側面から固定する．
2 抵抗をかける部位は，中手骨とする．
3 抵抗をかける際は，検者の手で被検者の中手骨に対し，手関節伸展の方向へ抵抗を加える．

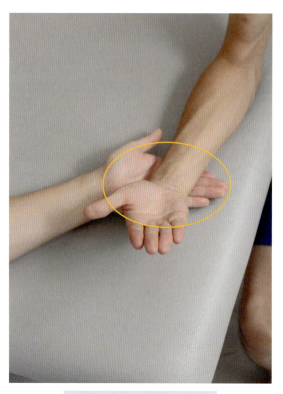

前腕遠位部背側面の固定

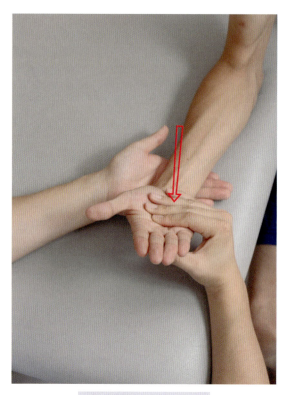

抵抗部位と抵抗方向

Ⅲ 検査方法

良（fair）：3	
検査肢位	座位
固　定	前腕遠位部背側面
検　査	被検者に肘関節を90°屈曲位，前腕を回外位にさせた位置から，手関節を屈曲保持させる

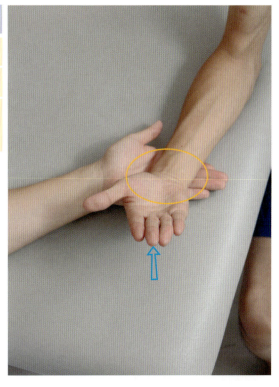

正常（normal）：5 ◆ 優（good）：4	
検査肢位	座位
固　定	前腕遠位部背側面
抵抗部位	中手骨
検　査	5：被検者に段階3の終了肢位を保持させる．検者の最大抵抗に打ち勝ち，その肢位が保持可能である 4：被検者に段階3の終了肢位を保持させる．検者の中等度抵抗に打ち勝ち，その肢位が保持可能である

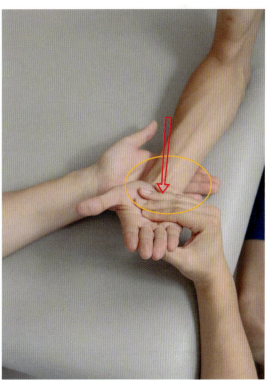

第3章 上肢

可（poor）：2	
検査肢位	座位
固　　定	特になし
検　　査	検者は検査側の肘関節を90°屈曲位，前腕を中間位にさせ，前腕遠位部を支持し重力を除去する．その後，被検者に手関節を屈曲させ，全運動範囲で運動が可能かを確認する．可動域全域でない場合は 2⁻ と判定する

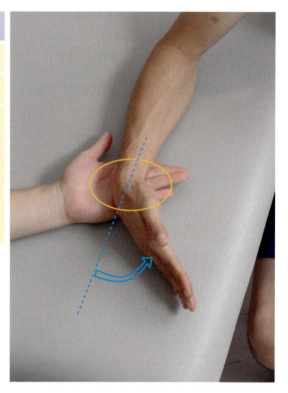

不可（trace）：1 ◆ ゼロ（zero）：0	
検査肢位	座位
固　　定	前腕遠位部背側面
検　　査	1：検者は検査側の肘関節を90°屈曲位，前腕を回外位にさせ，前腕および手関節を支持し重力を除去する．その後，被検者に手関節を屈曲させると，運動は起こらないが橈側手根屈筋および尺側手根屈筋の筋収縮が触知できる 0：筋収縮を認めない

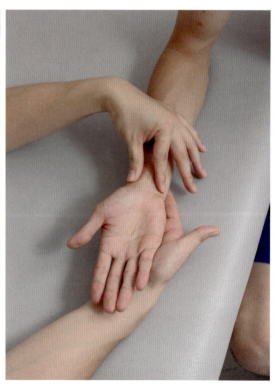

Ⅳ 代償動作

1 主動作筋が弱い場合，指屈筋による代償動作が起こることがあるので，手は握り締めないように注意する．

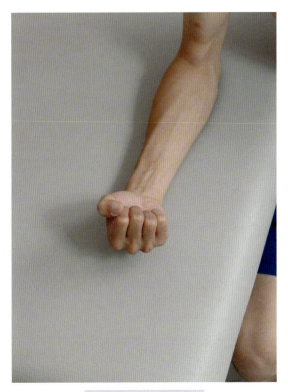

指屈筋による代償

V *Advance*

- 橈側手根屈筋の筋活動を優位に検査する場合は，第 2 中手骨に対し手関節背屈・尺屈させる方向へ抵抗を加える．
- 尺側手根屈筋の筋活動を優位に検査する場合は，第 5 中手骨に対し手関節背屈・橈屈させる方向へ抵抗を加える．

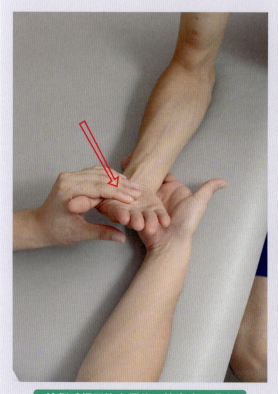

橈側手根屈筋を優位に検査する場合

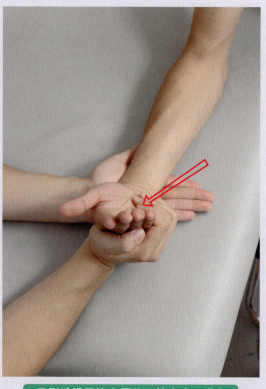

尺側手根屈筋を優位に検査する場合

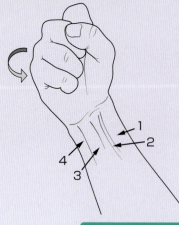

1. 橈側手根屈筋腱
2. 長掌筋腱
3. 浅指屈筋腱
4. 尺側手根屈筋腱

代表的な手関節屈筋の腱

19 手関節伸展（背屈）

参考可動域 70°

I 主動作筋

筋 名	起 始	停 止	神 経
長橈側手根伸筋 extensor carpi radialis longus muscle	上腕骨外側上顆	第2中手骨底の背側面	橈骨神経 C(5)6,7(8)
短橈側手根伸筋 extensor carpi radialis brevis muscle	上腕骨外側上顆	第2,3中手骨底の背側面	橈骨神経 C(5)6,7(8)
尺側手根伸筋 extensor carpi ulnaris muscle	上腕頭：上腕骨外側上顆 尺骨頭：尺骨後側面	第5中手骨底の背側面	橈骨神経 C6,7
補助筋			
指伸筋，小指伸筋，示指伸筋			

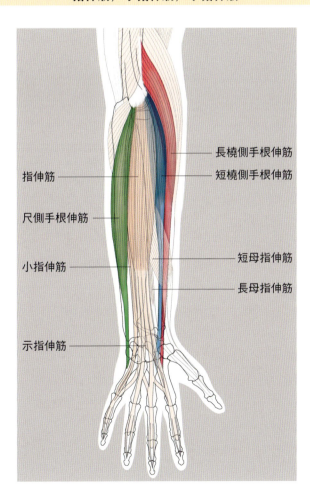

147

第3章 上肢

Ⅱ 固定と抵抗

1 主動作筋の筋腹や腱の動きを妨げないように前腕遠位部掌側面から固定する．
2 抵抗をかける部位は，中手骨とする．
3 抵抗をかける際は，検者の手で被検者の中手骨に対し，手関節屈曲の方向へ抵抗を加える．

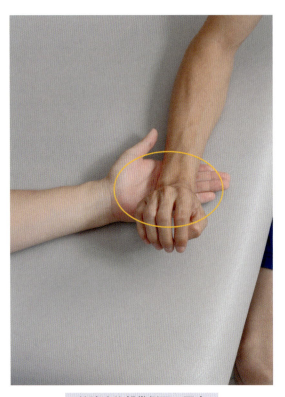

前腕遠位部掌側面の固定

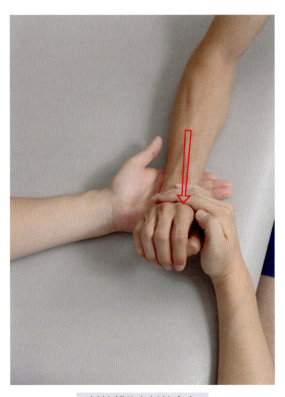

抵抗部位と抵抗方向

第3章 上肢

Ⅲ 検査方法

良（fair）：3	
検査肢位	座位
固　　定	前腕遠位部掌側面
検　　査	被検者に肘関節を90°屈曲位，前腕を回内位にさせた位置から，手関節を伸展保持させる

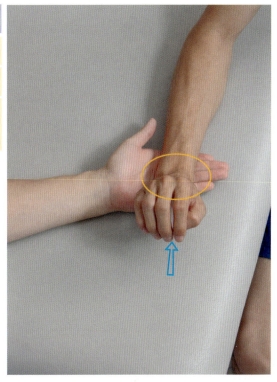

正常（normal）：5 ◆ 優（good）：4	
検査肢位	座位
固　　定	前腕遠位部掌側面
抵抗部位	中手骨
検　　査	5：被検者に段階3の終了肢位を保持させる．検者の最大抵抗に打ち勝ち，その肢位が保持可能である 4：被検者に段階3の終了肢位を保持させる．検者の中等度抵抗に打ち勝ち，その肢位が保持可能である

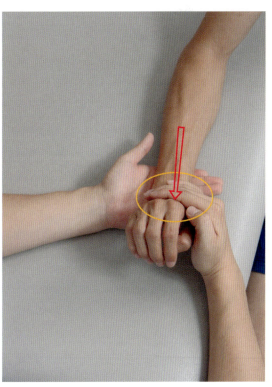

149

第3章 上肢

可（poor）：2	
検査肢位	座位
固　定	特になし
検　査	検者は検査側の肘関節を90°屈曲位，前腕を中間位にさせ，前腕遠位部を支持し重力を除去する．その後，被検者に手関節を伸展させ，全運動範囲で運動が可能かを確認する．可動域全域でない場合は2⁻と判定する

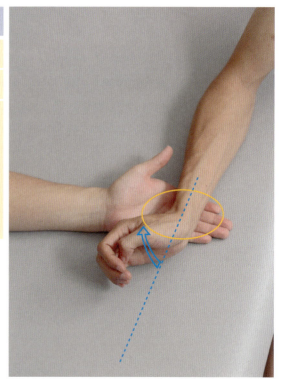

不可（trace）：1 ◆ ゼロ（zero）：0	
検査肢位	座位
固　定	特になし
検　査	1：検者は検査側の肘関節を90°屈曲位に，前腕を回内位にさせ，前腕および手関節を支持し動力を除去する．その後，被検者に手関節を伸展させると，運動は起こらないが長・短橈側手根伸筋，尺側手根伸筋の筋収縮が触知できる 0：筋収縮を認めない

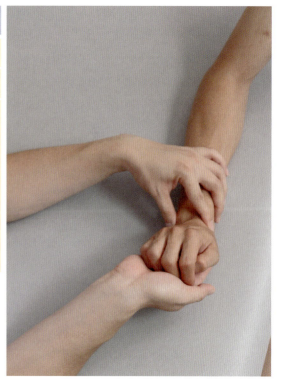

Ⅳ 代償動作

1 両主動作筋が弱い場合，指伸筋による代償動作が起こることがあるので，指に力が入らないように注意する．

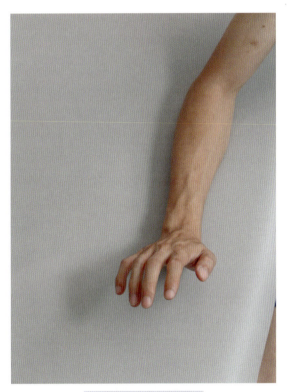

指伸筋による代償

V *Advance*

- 長・短橈側手根伸筋の筋活動を優位に検査する場合は，第2, 3中手骨に対し手関節掌屈・尺屈させる方向へ抵抗を加える．
- 尺側手根伸筋の筋活動を優位に検査する場合は，第5中手骨に対し手関節掌屈・橈屈させる方向へ抵抗を加える．

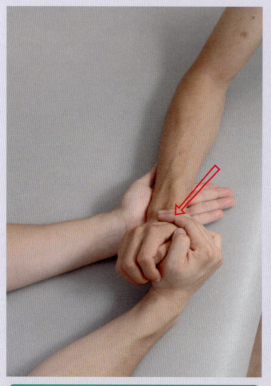

長・短橈側手根伸筋を優位に検査する場合

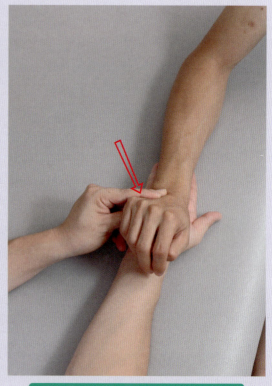

尺側手根伸筋を優位に検査する場合

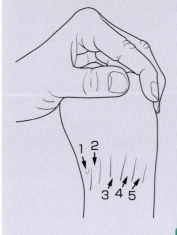

1. 長橈側手根伸筋腱
2. 短橈側手根伸筋腱
3. 総指伸筋腱
4. 小指伸筋腱
5. 尺側手根伸筋腱

代表的な手関節屈筋の腱

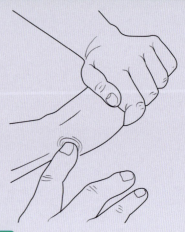

20 母指中手指節(MP)関節(短母指屈筋)屈曲

参考可動域 0〜50°

I 主動作筋

筋　名	起　始	停　止	神　経
(MP屈曲)短母指屈筋 flexor pollicis brevis	大菱形骨結節,(手の)屈筋支帯	母指基節骨底	正中神経(浅頭), 尺骨神経(深頭) C6〜7

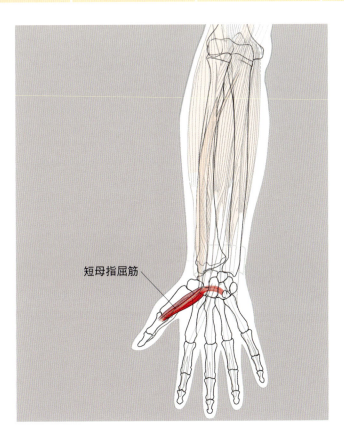

短母指屈筋

第3章 上肢

II 固定と抵抗

1 手関節や母指手根中手(CMC)関節にも運動が起きないよう第1中手骨をしっかり把持して固定し，運動は手掌に沿って行うよう指示する．
2 抵抗をかける部位は，母指基節骨掌側面とする．
3 抵抗をかける際は，検者の指を被検者の母指基節骨掌側面に当て，母指MP関節を伸展させる方向に抵抗を加える．

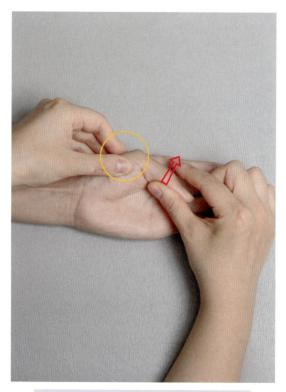

第1中手骨の固定と抵抗部位・方向

第3章 上肢

III 検査方法

良（fair）：3	
検査肢位	座位
固　　定	第1中手骨
抵抗部位	母指基節骨掌側面
検　　査	被検者に前腕を回外位，手関節を中間位，CMC関節0°，指節間（IP）関節0°，母指を内転位にさせ，第2中手骨の隣に添えた位置から母指MP関節を屈曲保持させる．この時，検者のわずかな抵抗に打ち勝ち，その肢位が保持可能である場合を段階3とする

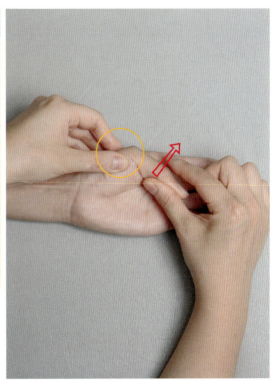

正常（normal）：5 ◆ 優（good）：4	
検査肢位	座位
固　　定	第1中手骨
抵抗部位	母指基節骨掌側面
検　　査	5：被検者に段階2の終了肢位を保持させる．検者の最大抵抗に打ち勝ち，その肢位が保持可能である 4：被検者に段階2の終了肢位を保持させる．検者の中等度抵抗に打ち勝ち，その肢位が保持可能である

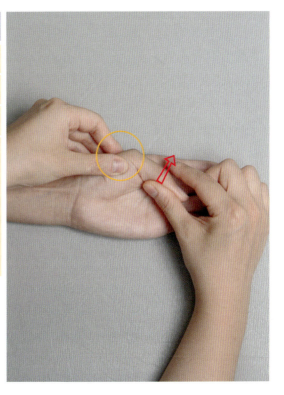

第3章 上肢

可（poor）：2	
検査肢位	座位
固　定	第1中手骨
検　査	検者は被検者の前腕を回外位，手関節を中間位，CMC関節0°，IP関節0°，母指を内転位にさせ，第2中手骨の隣に添える．その後，被検者に母指MP関節を屈曲させ，全運動範囲で運動が可能かを確認する

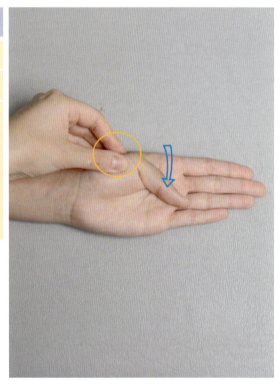

不可（trace）：1 ◆ ゼロ（zero）：0	
検査肢位	座位
固　定	第1中手骨
触知部位	母指球の尺側部（長母指屈筋腱や短母指外転筋より尺側に位置する）
検　査	1：検者は被検者の前腕を回外位，手関節を中間位，CMC関節0°，IP関節0°，母指を内転位にさせ，第2中手骨の隣に添える．その後，被検者に母指MP関節を屈曲させると，運動は起こらないが母指球の尺側部で短母指屈筋の筋収縮が触知できる 0：筋収縮を認めない

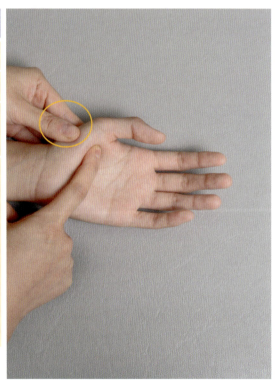

IV 代償動作

1 母指 IP 関節が屈曲し，長母指屈筋による代償動作が起こることがあるので，検査時は母指 IP 関節を伸展位に保持する．
2 開始肢位は CMC 関節が 0°となっているか，また手掌面で運動が起こっているかを確認する．母指対立運動などのみせかけの代償動作が起こらないように注意する．

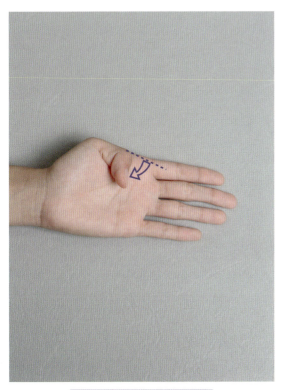

長母指屈筋による代償

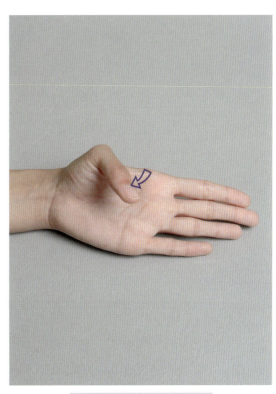

母指対立筋による代償

21 母指指節間(IP)関節(長母指屈筋)屈曲

参考可動域 0〜80°

I 主動作筋

筋 名	起 始	停 止	神 経
(IP屈曲)長母指屈筋 flexor pollicis longus	橈骨前面，上腕骨内側上顆，尺骨鉤状突起	母指末節骨底	正中神経 C6〜7(8)

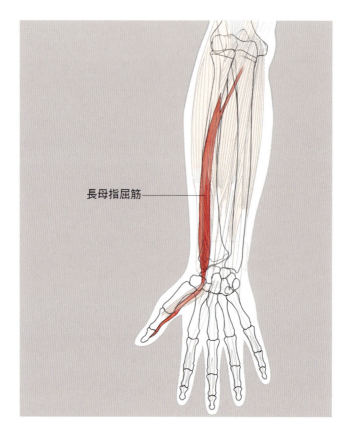

長母指屈筋

第3章 上肢

II 固定と抵抗

1 母指中手指節（MP）関節を伸展位とし，動かないようしっかり固定する．固定の位置は腱の滑走を妨がない位置にする．
2 抵抗をかける部位は，母指末節掌骨側面とする．
3 抵抗をかける際は，検者の指を被検者の母指末節骨掌側面に当て，母指 IP 関節を伸展させる方向に抵抗を加える．

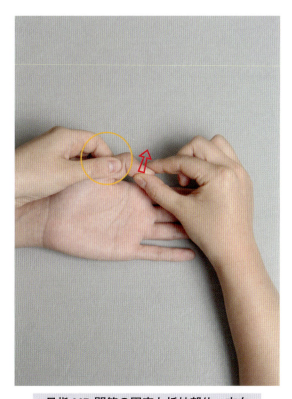

母指 MP 関節の固定と抵抗部位・方向

第3章　上肢

Ⅲ　検査方法

良（fair）：3	
検査肢位	座位
固　　定	母指MP関節
抵抗部位	母指末節骨掌側面
検　　査	被検者に前腕を回外位，手関節を中間位，母指MP関節を伸展位にさせた位置から母指IP関節を屈曲保持させる．この時，検者のわずかな抵抗に打ち勝ち，その肢位が保持可能である場合を段階3とする

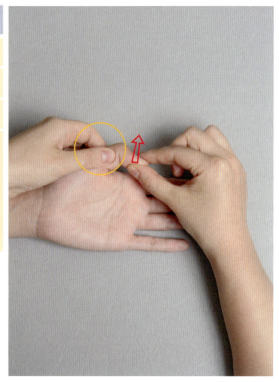

正常（normal）：5　優（good）：4	
検査肢位	座位
固　　定	母指MP関節
抵抗部位	母指末節骨掌側面
検　　査	5：被検者に段階2の終了肢位を保持させる．検者の最大抵抗に打ち勝ち，その肢位が保持可能である 4：被検者に段階2の終了肢位を保持させる．検者の強力な抵抗に打ち勝ち，その肢位が保持可能である ※この筋は非常に強力な筋である

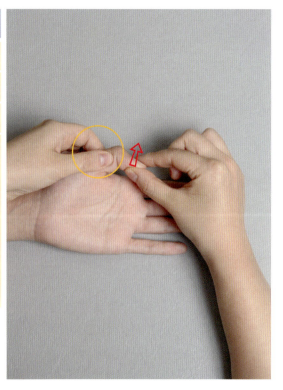

可 (poor)：2

検査肢位	座位
固定	母指 MP 関節
検査	被検者に前腕を回外位，手関節を中間位，母指 MP 関節を伸展位にさせた位置から母指 IP 関節を屈曲させる．全運動範囲で運動が可能かを確認する

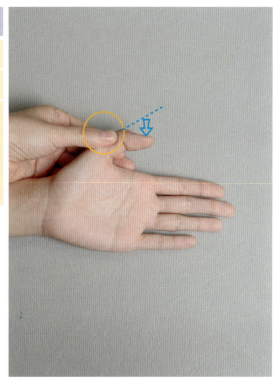

不可 (trace)：1 ◆ ゼロ (zero)：0

検査肢位	座位
固定	母指 MP 関節
触知部位	母指基節骨掌側面
検査	1：被検者に前腕を回外位，手関節を中間位，母指 MP 関節を伸展位にさせた位置から母指 IP 関節を屈曲させると，運動は起こらないが母指基節骨掌側面で長母指屈筋の筋収縮が触知できる 0：筋収縮を認めない

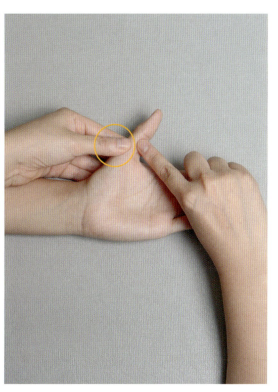

IV 代償動作

1 検査開始時に母指末節を伸展させている場合は，力を抜くことで屈曲したようにみえるため，開始時の状態に注意を促す．

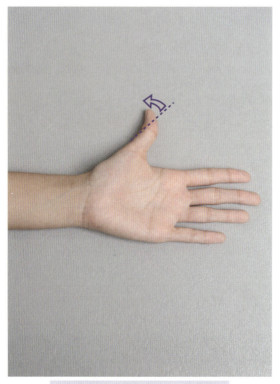

母指末節の過伸展による代償

22 母指中手指節（MP）関節（短母指伸筋）伸展

参考可動域　50〜0°

I 主動作筋

筋　名	起　始	停　止	神　経
（MP 伸展）短母指伸筋 extensor pollicis brevis	橈骨後側面，前腕骨間膜	母指基節骨底の背側面	橈骨神経〔後（前腕）骨間神経〕 C6〜7(8)

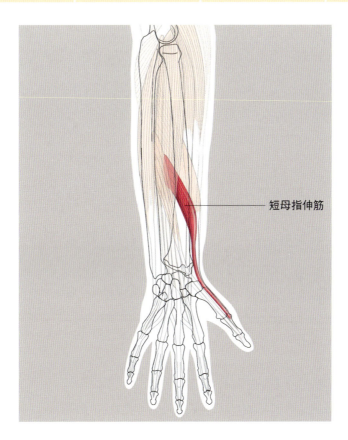

短母指伸筋

163

II 固定と抵抗

1 手関節や母指手根中手(CMC)関節にも運動が起きないよう第1中手骨をしっかり把持して固定する．
2 抵抗をかける部位は，母指基節骨背側面とする．
3 抵抗をかける際は，検者の指を被検者の母指基節骨背側面に当て，母指 MP 関節を屈曲させる方向に抵抗を加える．

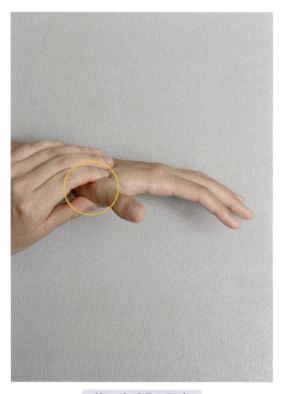

第1中手骨の固定

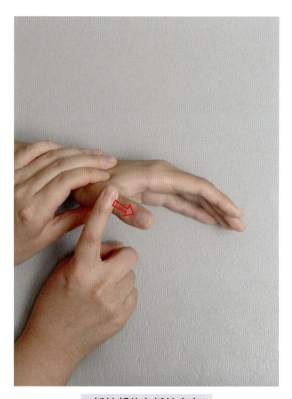

抵抗部位と抵抗方向

第3章 上肢

III 検査方法

良（fair）：3	
検査肢位	座位
固定	第1中手骨
検査	被検者に前腕および手関節を中間位，母指CMC関節および指節（IP）関節を軽度屈曲位，母指MP関節を外転・屈曲位にさせた位置から母指MP関節を伸展保持させる

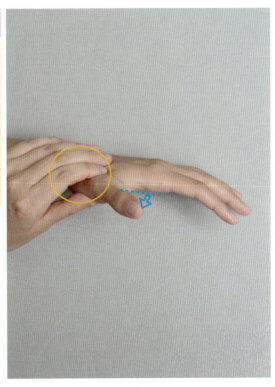

正常（normal）：5 ◆ 優（good）：4	
検査肢位	座位
固定	第1中手骨
抵抗部位	母指基節骨背側面
検査	5：被検者に段階3の終了肢位を保持させる．検者の最大抵抗に打ち勝ち，その肢位が保持可能である 4：被検者に段階3の終了肢位を保持させる．検者の中等度抵抗に打ち勝ち，その肢位が保持可能である ※この筋は弱い筋であるため抵抗を加える時は注意を要する．段階4と5の区別は経験を要するが，健側と比較し，判断することも有効である

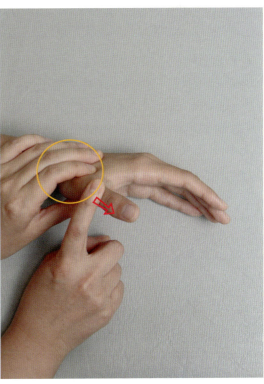

第3章 上肢

可(poor):2	
検査肢位	座位
固　　定	第1中手骨
検　　査	被検者に前腕および手関節を中間位，母指CMC関節および指節IP関節を軽度屈曲位，母指MP関節を外転・屈曲位にさせた位置から母指MP関節を伸展させる．この時，わずかでも運動が起こるかを確認する

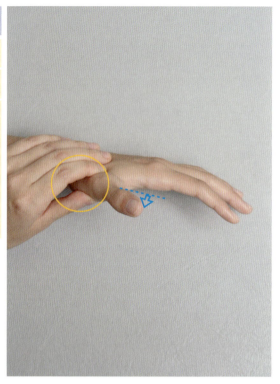

不可(trace):1 ◆ ゼロ(zero):0	
検査肢位	座位
固　　定	母指を軽く支える
触知部位	第1中手骨底〔長母指外転筋腱と長母指伸筋腱の間（p173の図1参照）〕
検　　査	1：被検者に前腕および手関節を中間位，母指CMC関節およびIP関節を軽度屈曲位，母指MP関節を外転・屈曲位にさせた位置から母指MP関節を伸展させると，運動は起こらないが第1中手骨底で短母指伸筋の筋収縮が触知できる 0：筋収縮を認めない

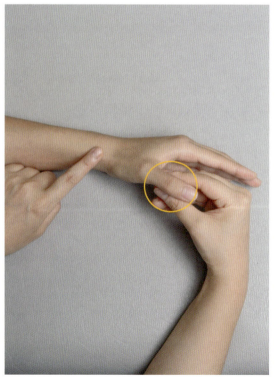

Ⅳ 代償動作

1 母指 MP 関節伸展時に母指 CMC 関節を内転させると，母指 IP 関節が伸び，母指 MP 関節が伸展しているようなみせかけの運動となる．これは短母指伸筋の作用ではなく，長母指伸筋による代償が起こっていることを示すため注意が必要である．

母指 CMC 関節内転による代償

上肢

23 母指指節間(IP)関節(長母指伸筋)伸展

参考可動域　80〜0°

I 主動作筋

筋　名	起　始	停　止	神　経
(IP伸展)長母指伸筋 extensor pollicis longus	尺骨，前腕骨間膜後側面	母指末節骨底の背側面	橈骨神経〔後(前腕)骨間神経〕 C6〜7(8)

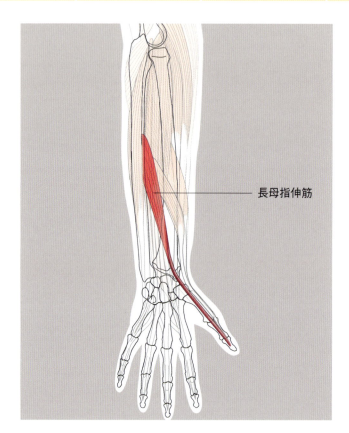

長母指伸筋

168

第3章 上肢

II 固定と抵抗

1 テーブルに手の尺側側をのせ，母指基節骨をしっかり把持して固定する．固定の位置は腱の滑走を妨がないようにする．
2 抵抗をかける部位は，母指末節骨背側面とする．
3 抵抗をかける際は，検者の指を被検者の母指末節骨背側面に当て，母指末節を屈曲させる方向に抵抗を加える．

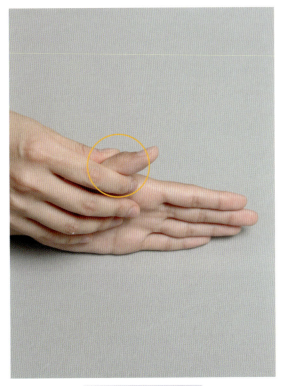

母指基節骨の固定

抵抗部位と抵抗方向

169

第3章 上肢

III 検査方法

良（fair）：3	
検査肢位	座位
固　　定	母指基節骨
検　　査	検者は被検者の前腕および手関節を中間位にさせ，手の尺側をテーブルの上に置く．その後，被検者に母指を軽度屈曲位させた位置から母指IP関節を伸展保持させる

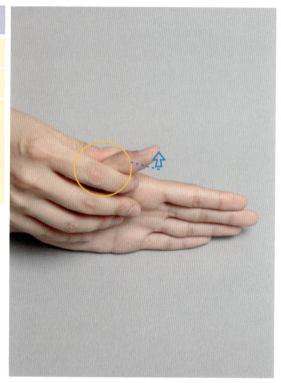

正常（normal）：5 ◆ 優（good）：4	
検査肢位	座位
固　　定	母指基節骨
抵抗部位	母指末節骨背側面
検　　査	5：被検者に段階3の終了肢位を保持させる．検者の最大抵抗に打ち勝ち，その肢位が保持可能である 4：被検者に段階3の終了肢位を保持させる．検者の中等度抵抗に打ち勝ち，その肢位が保持可能である ※この筋は弱い筋であるため抵抗を加える時は注意を要する．段階4と5の区別は経験を要するが，健側手と比較し，判断することも有効である

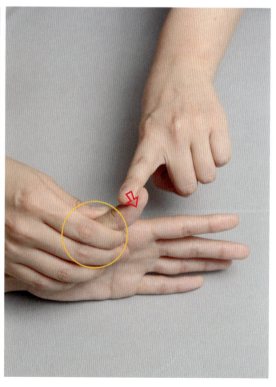

可（poor）：2	
検査肢位	座位
固　　定	手関節背側面と第2～5指までの基節骨
検　　査	検者は被検者の前腕を回内位，手関節を中間位にさせ，重力の影響を最小限にする．その後，被検者に母指を軽度屈曲位にさせた位置から母指IP関節を伸展させる．この時，わずかでも運動が起こるかを確認する

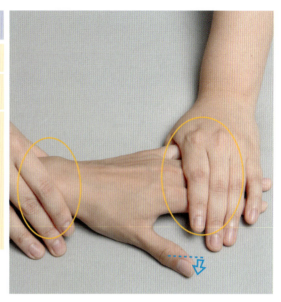

不可（trace）：1　ゼロ（zero）：0	
検査肢位	座位
固　　定	特になし
触知部位	「解剖学的嗅ぎたばこ入れ」の尺側部や母指基節骨背側面
検　　査	1：検者は被検者の前腕を回内位，手関節を中間位にさせ，重力の影響を最小限にする．その後，被検者に母指IP関節を伸展させると，運動は起こらないが「解剖学的嗅ぎたばこ入れ」の尺側部や母指基節骨背側面で長母指伸筋の筋収縮が触知できる 0：筋収縮を認めない

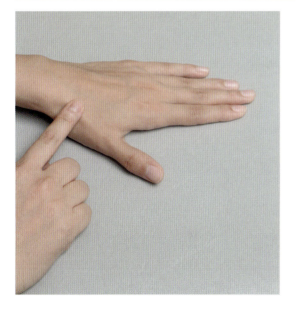 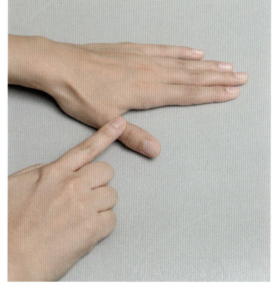

IV 代償動作

1. 長母指伸筋の滑走を妨げないように固定する．
2. 母指球筋群（短母指外転筋，短母指屈筋，母指内転筋）は，母指手根中手（CMC）関節を屈曲することで母指 IP 関節を伸展することができる（伸筋腱固定効果：テノデーシス・アクション）．したがって，長母指伸筋の作用ではなく，伸筋腱固定効果によって母指 IP 関節の伸展が生じる場合があるので，母指 CMC 関節や手関節の固定には十分に注意する．
3. 母指内転筋の作用で母指 IP 関節伸展が起こることがあるので注意する．

母指 CMC 関節屈曲による代償

V *Advance*

- 長母指伸筋の機能判定には，母指の末節を屈曲するように弾いてみることである．指が反動的に跳ね返る場合は，機能的に役立つ筋と考えることができる．
- 母指の伸展筋を整理する（図1，2）．

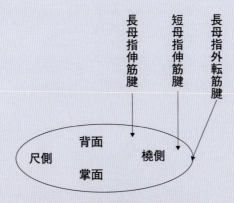

図1　手関節横断面と腱の位置

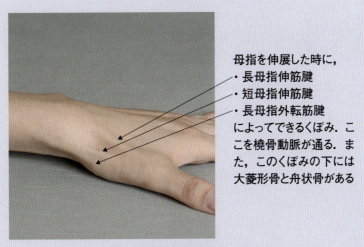

図2　解剖学的嗅ぎたばこ入れ

上肢

24 母指外転

参考可動域 0〜70°

I 主動作筋

筋 名	起 始	停 止	神 経
長母指外転筋 abductor pollicis longus	橈骨・尺骨の後側面	第1中手骨の橈骨側，大菱形骨	橈骨神経〔後（前腕）骨間神経〕 C(6)7(8)
短母指外転筋 abductor pollicis brevis	舟状骨結節，大菱形骨，（手の）屈筋支帯	母指基節骨底の橈骨側	正中神経 C6〜7
補助筋				
長掌筋，短母指伸筋，母指対立筋				

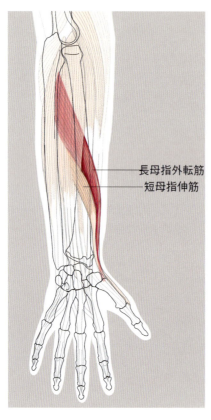
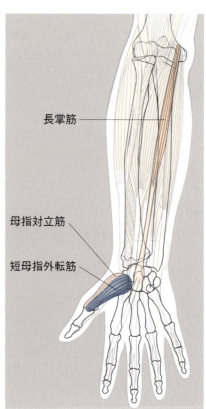

第3章 上肢

II 固定と抵抗（長母指外転筋）

1 第2～5指までの中手骨と手関節を把持して固定する．
2 抵抗をかける部位は，母指中手骨遠位端とする．
3 抵抗をかける際は，検者の指を被検者の母指中手骨遠位端に当て，母指を内転させる方向へ抵抗を加える．

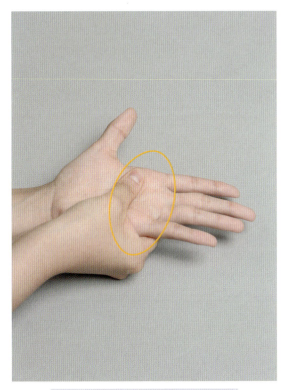

第2～5中手骨と手関節の固定

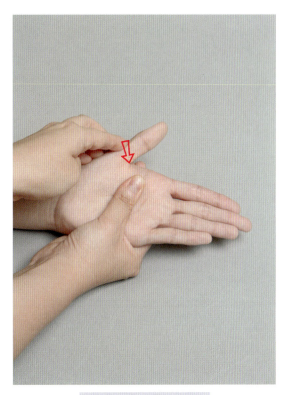

抵抗部位と抵抗方向

第3章 上肢

Ⅲ 検査方法（長母指外転筋）

良（fair）：3	
検査肢位	座位
固　定	第2～5指中手骨と手関節
検　査	被検者に前腕を回外位，手関節を中間位，母指は力を抜き軽度内転位にさせた位置から，第2～5指の中手骨と平行な面上で母指を外転保持させる

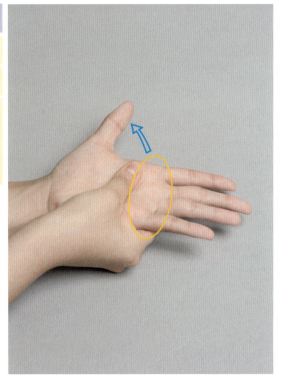

正常（normal）：5 ◆ 優（good）：4	
検査肢位	座位
固　定	第2～5指中手骨と手関節
抵抗部位	母指中手骨遠位端
検　査	5：被検者に段階3の終了肢位を保持させる．検者の最大抵抗に打ち勝ち，その肢位が保持可能である 4：被検者に段階3の終了肢位を保持させる．検者の中等度抵抗に打ち勝ち，その肢位が保持可能である ※段階4と5の区別は難しいことがある

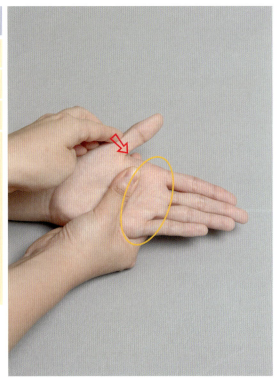

第3章 上肢

可（poor）：2	
検査肢位	座位
固定	第2〜5指中手骨と手関節
検査	被検者に前腕回外位，手関節を中間位，母指は力を抜き軽度内転位にさせた位置から，第2〜5指の中手骨と平行な面上で母指を外転させる．この時，わずかでも運動が起こるかを確認する

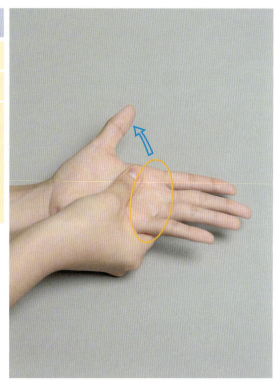

不可（trace）：1 ◆ ゼロ（zero）：0	
検査肢位	座位
固定	特になし
触知部位	第1中手骨底〔短母指伸筋橈側および手関節部で最も外側に位置する（p173の図1参照）〕
検査	1：被検者に前腕を回外位，手関節を中間位，母指は力を抜き軽度内転位にさせた位置から，第2〜5指の中手骨と平行な面上で母指を外転させると，運動は起こらないが第1中手骨底で長母指外転筋の筋収縮が触知できる 0：筋収縮を認めない

177

IV 代償動作

1 運動方向が前腕背側面方向（伸展）に向かう場合は，短母指伸筋の代償が起こるため，長母指外転筋検査では第2〜5指の中手骨と平行な面上で母指が外転するようにする．

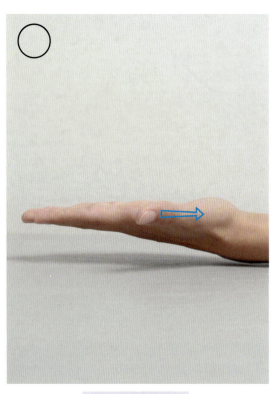

正しい運動方向

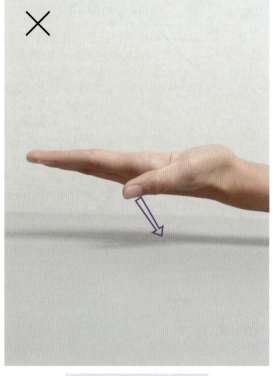

短母指伸筋による代償

第 3 章　上肢

V　固定と抵抗（短母指外転筋）

1 検者は，握手をするように被検者の手掌側面を横切り，検者の親指を被検者の手背側面に回して把持し，第 2〜5 指までの中手骨を固定する．
2 抵抗をかける部位は，母指基節骨外側とする．
3 抵抗をかける際は，検者の母指を被検者の母指基節骨外側面に当て，母指を内転させる方向に抵抗を加える．

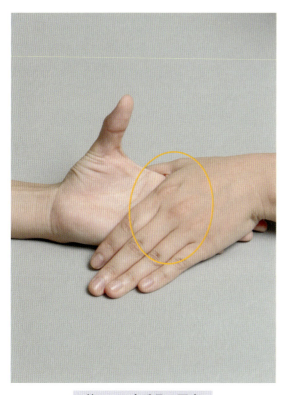

第 2〜5 中手骨の固定

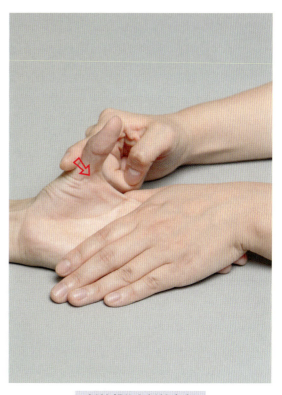

抵抗部位と抵抗方向

179

第3章 上肢

VI 検査方法（短母指外転筋）

良（fair）：3

検査肢位	座位
固　　定	手を握るようにして第2〜5指までの中手骨
検　　査	被検者に前腕回外位，手関節を中間位，母指は力を抜き軽度内転位にさせた位置から掌側面に対して垂直に母指を外転保持させる

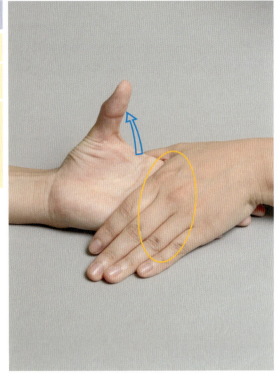

正常（normal）：5 ◆ 優（good）：4

検査肢位	座位
固　　定	手を握るようにして第2〜5指までの中手骨
抵抗部位	母指基節骨外側
検　　査	5：被検者に段階3の終了肢位を保持させる．検者の最大抵抗に打ち勝ち，その肢位が保持可能である 4：被検者に段階3の終了肢位を保持させる．検者の中等度抵抗に打ち勝ち，その肢位が保持可能である

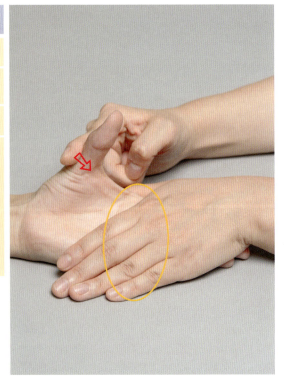

第3章 上肢

可（poor）：2	
検査肢位	座位
固　　定	第2〜5指までの中手骨
検　　査	検者は被検者の前腕および手関節を中間位にさせ，重力の影響を最小限にさせる．その後，被検者に母指の力を抜かせ，軽度内転位とした位置から掌側面に対して垂直に母指を外転させる．この時，運動が可能かを確認する

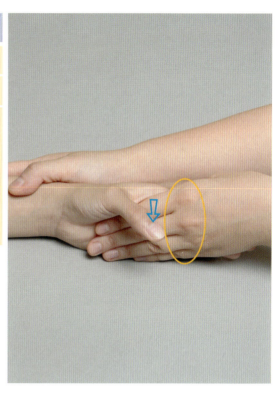

不可（trace）：1 ◆ ゼロ（zero）：0	
検査肢位	座位
固　　定	第2〜5指までの中手骨を固定
触知部位	母指球の中央部（母指対立筋の内側に位置する）
検　　査	1：検者は被検者の前腕および手関節を中間位にさせ重力の影響を最小限にさせる．その後，母指は力を抜き軽度内転位とした位置から掌側面に対して垂直に外転させると，運動は起こらないが母指球の中央部で短母指外転筋の筋収縮が触知できる 0：筋収縮を認めない

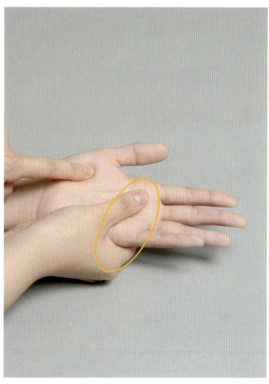

181

Ⅶ 代償動作

1 長母指外転筋の代償を防ぐために,運動は手の橈側方向ではなく,掌側面に対して垂直な面に母指を外転させる.この際,母指球の皮膚にしわが寄ることを観察する.

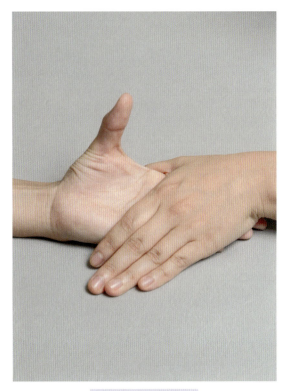

正しい運動方向

Ⅷ *Advance*

- 長母指外転筋(橈骨神経支配)は母指の外転に関与し,短母指外転筋より強力であれば母指は手の橈側方向へ変位する.
- 短母指外転筋(正中神経支配)は母指の掌側外転に関与し,長母指外転筋より強力であれば母指は手の尺側方向へ変位する.
- 短母指外転筋の筋力が低下すると,大きなものの握り動作が困難となる.

25 母指内転

参考可動域 70〜0°

I 主動作筋

筋 名	起 始	停 止	神 経
母指内転筋 adductor pollicis	斜頭：有頭骨，小菱形骨，第2中手骨 横頭：第3中手骨	母指基節骨底の尺骨側	尺骨神経 C8〜T1

補助筋
第1背側骨間筋

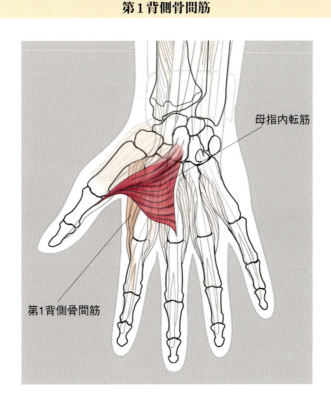

母指内転筋

第1背側骨間筋

第3章 上肢

II 固定と抵抗

1 第2～5指までの中手骨を尺側から把持して固定する．
2 抵抗をかける部位は，母指基節骨掌側面とする．
3 抵抗をかける際は，検者の第2指を被検者の母指基節骨掌側面に当て，母指を外転させる方向へ抵抗を加える．

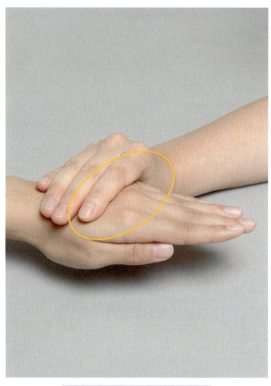

第2～5指中手骨の固定

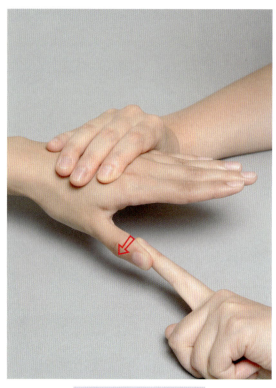

抵抗部位と抵抗方向

第3章 上肢

Ⅲ 検査方法

良（fair）：3	
検査肢位	座位
固　定	被検者の手を尺側から把持し，第2〜5指までの中手骨
検　査	被検者に前腕を回内位，手関節を中間位，母指は力を抜き，軽度内転位にさせた位置から母指を内転保持させる

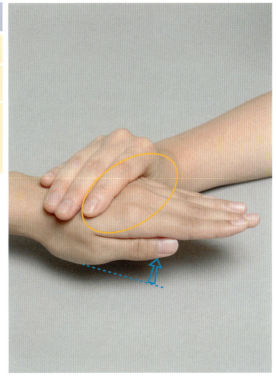

正常（normal）：5 ◆ 優（good）：4	
検査肢位	座位
固　定	被検者の手を尺側から把持して，第2〜5指までの中手骨
抵抗部位	母指基節骨掌側面
検　査	5：被検者に段階3の開始肢位を保持させる．検者の最大抵抗に打ち勝ち，その肢位が保持可能である 4：被検者に段階3の開始肢位を保持させる．検者の抵抗に多少負けてしまう場合を段階4とする

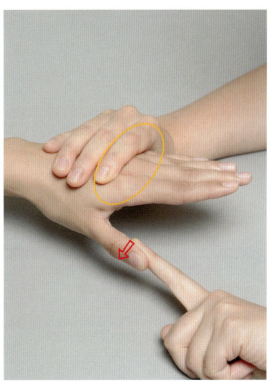

第3章　上肢

可（poor）：2	
検査肢位	座位
固　定	被検者の手関節を把持して，第2～5指までの中手骨
検　査	検者は被検者の前腕および手関節を中間位にさせ，重力の影響を最小限にする．その後，被検者に母指は力を抜き，軽度外転位とした位置から母指を内転させ，全運動範囲で運動が可能かを確認する

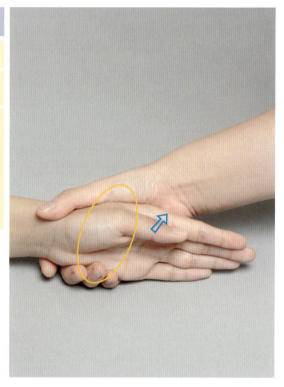

不可（trace）：1　ゼロ（zero）：0	
検査肢位	座位
固　定	特になし
触知部位	示指と母指の間の水かき部分の掌側面（第1背側骨間筋と第1中手骨の間であるが，この筋は深い位置にあり触知が難しい）
検　査	1：検者は被検者の前腕および手関節を中間位にさせ，重力の影響を最小限にする．被検者に母指を内転させると，運動は起こらないが母指と第2指の間の水かき部分の掌側面で母指内転筋の筋収縮が触知できる 0：筋収縮を認めない

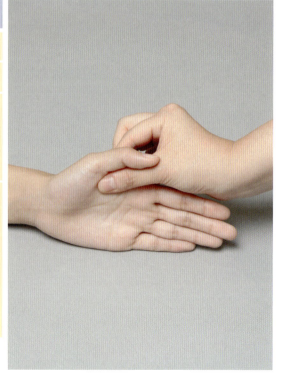

第3章 上肢

IV 代償動作

1 長母指屈筋と短母指屈筋の作用により，母指が屈曲することで内転が起こっているようにみえる場合があるので，この2つの筋を緩めながら実施する．
2 長母指伸筋の作用によって母指内転が起きることがある．この際は，母指手根中手（CMC）関節の伸展が観察されることが多いため母指CMC関節の動きに注意する．

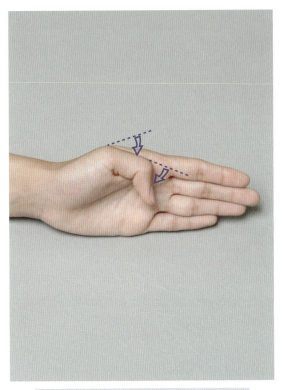 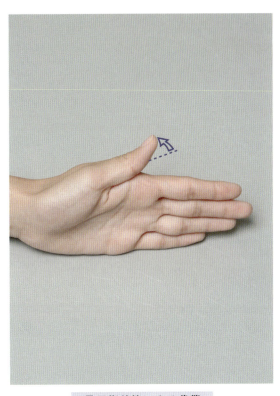

長母指屈筋と短母指屈筋による代償　　　長母指伸筋による代償

V *Advance*

・母指内転筋の作用は，母指と第2中手骨の間に紙を挟み，それを保持できるかで調べることもできる．

上肢

26 母指および小指対立

参考可動域　母指末節指腹と第5指末節指腹の接触まで

I 主動作筋

筋名	起始	停止	神経
母指対立筋 opponens pollicis	大菱形骨結節,（手の）屈筋支帯	第1中手骨の橈骨側	正中神経 C6〜7
小指対立筋 opponens digiti minimi	有鉤骨鉤,（手の）屈筋支帯	第5中手骨の前側面	尺骨神経 C(7)8,(T1)

補助筋
短母指外転筋，短母指屈筋

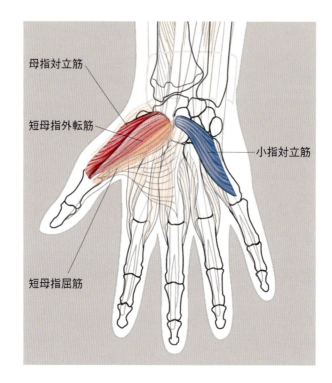

第3章　上肢

II　固定と抵抗

1 手関節を背側面から支え，手を固定する．
2 抵抗をかける部位は，母指対立筋の場合は第1中手骨頭掌側面とし，小指対立筋の場合は，第5中手骨掌側面とする．
3 抵抗をかける際は，母指対立筋の場合は検者の母指を被検者の第1中手骨頭掌側面に当て，母指を外旋・伸展・内転させる方向へ抵抗を加える．小指対立筋の場合は，検者の母指を被検者の第5中手骨掌側面に当て，第5指を内旋させる方向へ抵抗を加える．

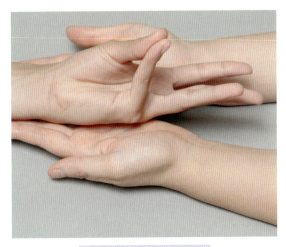

手関節背側面の固定

抵抗部位と抵抗方向
（母指対立筋の場合）

抵抗部位と抵抗方向
（小指対立筋の場合）

第3章 上肢

III 検査方法

良 (fair)：3	
検査肢位	座位
固定	手関節背側面
検査	被検者に前腕を回外位，手関節を中間位，母指は中手指節（MP）関節および指節間（IP）関節を屈曲・内転位にさせた位置から母指の指腹と小指の指腹の対立を行わせ保持させる

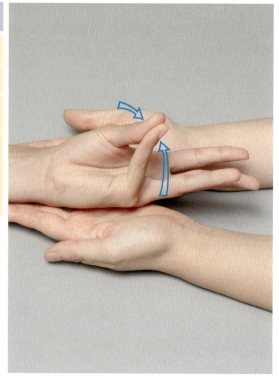

第3章 上肢

正常（normal）：5 ◆ 優（good）：4	
検査肢位	座位
固　　定	手関節背側面
抵抗部位	母指対立筋：第1中手骨頭掌側面 小指対立筋：第5中手骨掌側面
検　　査	5：被検者に段階3の終了肢位を保持させる．検者の最大抵抗に打ち勝ち，その肢位が保持可能である 4：被検者に段階3の終了肢位を保持させる．検者の中等度抵抗に打ち勝ち，その肢位が保持可能である

母指対立筋

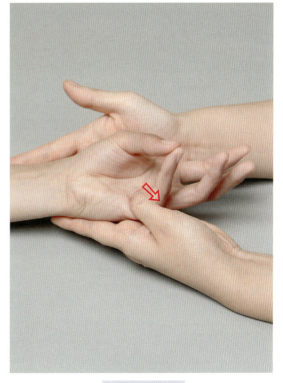

小指対立筋

191

第3章 上肢

	可（poor）：2
検査肢位	座位
固　　定	手関節背側面
検　　査	被検者に前腕を回外位，手関節を中間位，母指は中MP関節およびIP関節を屈曲・内転位にさせた位置から母指の指腹と小指の指腹を対立をさせる．この時，わずかでも運動が起こるかを確認する．なお，母指対立筋と小指対立筋は別々に評価する

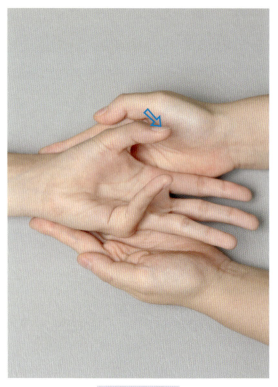

母指対立筋

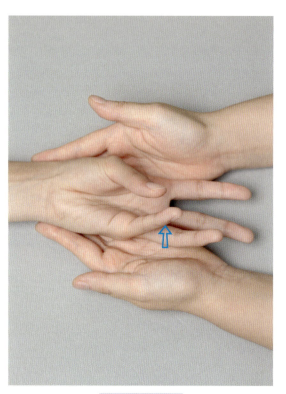

小指対立筋

第3章 上肢

不可（trace）：1 ◆ ゼロ（zero）：0

検査肢位	座位
固　　定	特になし
触知部位	母指対立筋：第1中手骨骨幹橈側部（短母指外転筋の外側に位置し，深層にある） 小指対立筋：小指球内で第5中手骨橈側縁
検　　査	1：被検者に前腕を回外位，手関節を中間位，母指はMP関節およびIP関節を屈曲・内転位にさせた位置から母指の指腹と小指の指腹を対立させると，運動は起こらないが第1中手骨骨幹橈側部で母指対立筋，第5中手骨橈側縁で小指対立筋の筋収縮が触知できる 0：筋収縮を認めない

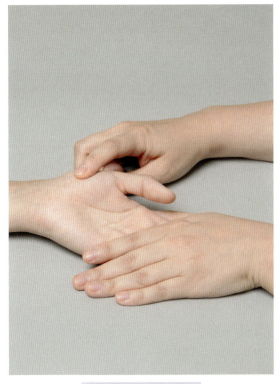

母指対立筋の触知

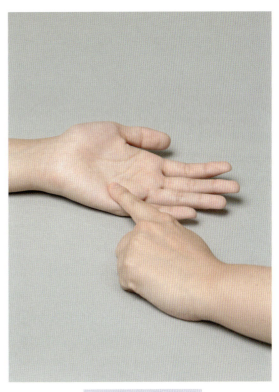

小指対立筋の触知

193

Ⅳ 代償動作

1 母指と小指の指腹（指尖ではない）同士が接触するようにする．
2 長母指屈筋と短母指屈筋は，母指を小指のほうに引き寄せる作用をもっている．このような運動と対立運動を区別するために，対立運動では必ず指腹同士がくっついていること，手掌面から離れた運動になっていることを確認する．
3 短母指外転筋の代償に注意する．これを見分けるために対立運動に回旋の要素が含まれていることを確認する．

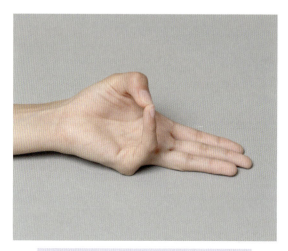

長母指屈筋，短母指屈筋による代償

Ⅴ *Advance*

・対立運動の抵抗のかけ方として，母指と小指でものを把持してもらい，それを引き抜こうとするのに抗する方法でも測定が可能である．

抵抗をかける場合の別法

27 中手指節(MP)関節屈曲

参考可動域 0～90°

I 主動作筋

筋　名	起　始	停　止	神　経
虫様筋（4筋） lumbricales muscles	深指屈筋腱	第2～5指の指背腱膜	正中神経，尺骨神経 C8～T1
背側骨間筋（4筋） dosal interossei muscles	各2頭をもって，第1～5中手骨の対向側から起こる	第2, 3, 4指の指背腱膜	尺骨神経（橈骨側の一部は正中神経を受けることがある） C8～T1
掌側骨間筋（3筋） palmar interossei muscles	第2, 4, 5中手骨側面	第2, 4, 5指の指背腱膜	尺骨神経（橈骨側の一部は正中神経を受けることがある） C8～T1

補助筋

浅指屈筋，深指屈筋，短小指屈筋，小指対立筋

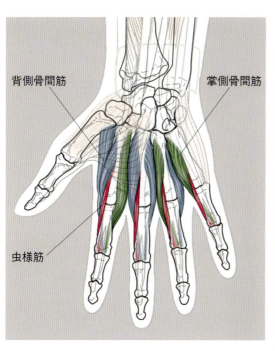

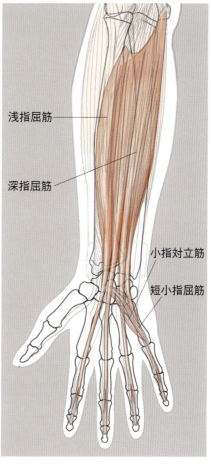

Ⅱ 固定と抵抗

1 MP関節の動きを妨げないよう，MP関節より近位で中手骨を固定する．
2 抵抗をかける部位は，指の基節骨掌側面とする．
3 抵抗をかける際は，検者の手指を被検者の指の基節骨掌側面（1本ずつの指）に当て，MP関節を伸展させる方向に抵抗を加える．

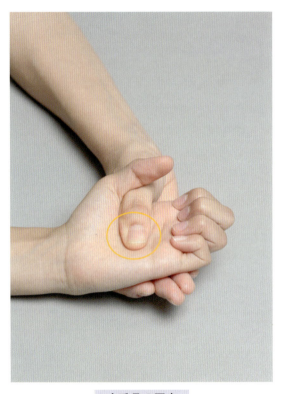

中手骨の固定

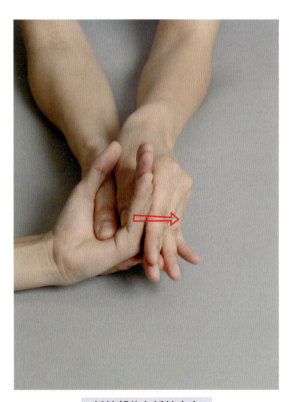

抵抗部位と抵抗方向

第3章　上肢

Ⅲ　検査方法

良（fair）：3	
検査肢位	座位
固　　定	MP関節より近位の中手骨
検　　査	被検者に前腕を回外位，手関節を中間位，MP関節を完全伸展位，すべての指節間（IP）関節を屈曲位にさせ，MP関節の最大屈曲とIP関節の最大伸展を同時に行わせて保持させる

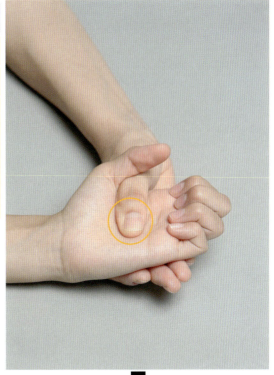

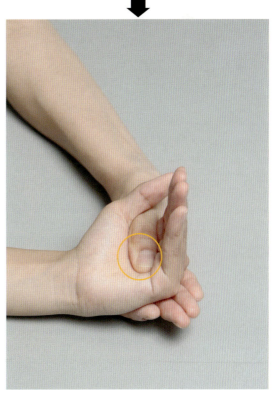

197

第3章　上肢

正常（normal）：5 ◆ 優（good）：4	
検査肢位	座位
固　　定	MP関節より近位の中手骨
抵抗部位	基節骨掌側面（1本ずつの指に加える）
検　　査	5：被検者に段階3の終了肢位を保持させる．検者の最大抵抗に打ち勝ち，その肢位が保持可能である 4：被検者に段階3の終了肢位を保持させる．検者の中等度ないし強度の抵抗に打ち勝ち，その肢位が保持可能である

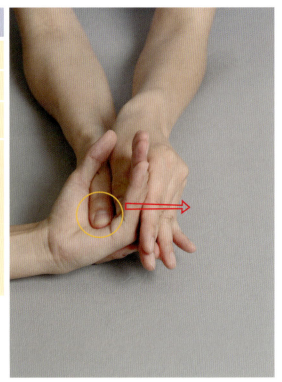

可（poor）：2	
検査肢位	座位
固　　定	中手骨
検　　査	検者は被検者の前腕を中間位にさせ，重力の影響を最小限にする．その後，被検者にMP関節を完全伸展位，すべてのIP関節を屈曲位にさせた位置から，MP関節の屈曲およびIP関節の伸展を同時に行わせる．この時，全運動範囲で運動が可能かを確認する

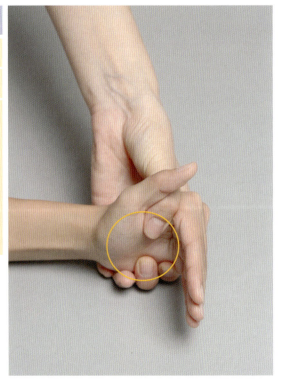

第3章 上肢

不可（trace）：1 ◆ ゼロ（zero）：0	
検査肢位	座位
固　定	中手骨
触知部位	なし（虫様筋は強く萎縮した手でなければ，触知できない）
検　査	1：検者は被検者の前腕を中間位にさせ，重力の影響を最小限にする．その後，被検者にMP関節の屈曲およびIP関節の伸展を同時に行わせると，ごくわずかな動きがみられる 0：なんらかの動きもみられない

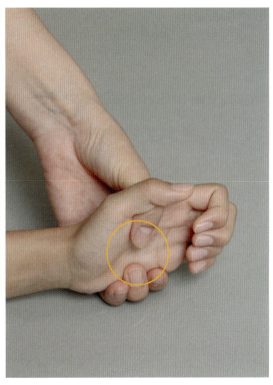

IV 代償動作

1 深指屈筋，浅指屈筋でIP関節を屈曲することにより虫様筋の代償動作が起こることがあるため，IP関節が完全に伸展しているか注意しながら行う．

IP関節屈曲による虫様筋の代償動作

V *Advance*

- 段階5においては，虫様筋の力は指により異なるため，抵抗は1本ずつの指に加える．
- 検査肢位は検者がやってみせ，被験者には指の関節は伸ばしたまま，付け根の関節だけ曲げる運動を同時に行えるように練習させる．

28 中手指節(MP)関節伸展

参考可動域 0〜45°

I 主動作筋

筋 名	起 始	停 止	神 経
指伸筋 extensor digitorum muscle	上腕骨外側上顆	第2〜5指の指背腱膜を通して末節骨底	橈骨神経(深枝) C(5)6〜8
示指伸筋 extensor indicis muscle	尺骨,前腕骨間膜後側面	第2指の指背腱膜	橈骨神経〔後(前腕)骨間神経〕 C6〜8
小指伸筋 levator scapulae muscle	上腕骨外側上顆	第5指の指背腱膜	橈骨神経(深枝) C(6)7〜8

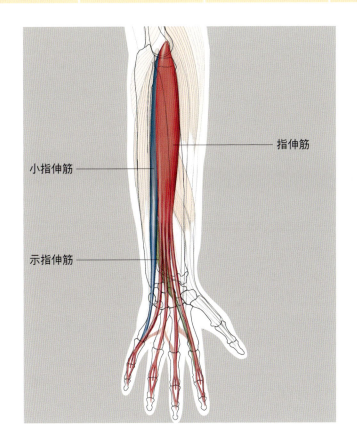

Ⅱ 固定と抵抗

1 手関節を屈伸中間位に固定する．
2 抵抗をかける部位は，指の基節骨背側面のMP関節よりすぐの遠位部とする．
3 抵抗をかける際は，検者の示指を被検者の指の基節骨背側面MP関節遠位部を横切るようにあてがい，屈曲させる方向に抵抗を加える．

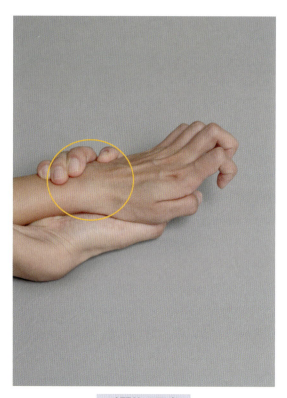

手関節の固定

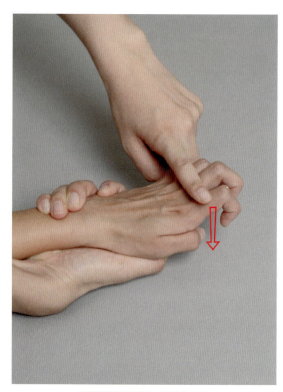

抵抗部位と抵抗方向

第3章 上肢

Ⅲ 検査方法

	良（fair）：3
検査肢位	座位
固 定	手関節
検 査	被検者に前腕を回内位にとらせ，MP 関節および指節間（IP）関節の力を抜いた状態からMP 関節の伸展を行わせて保持させる．それぞれの筋については以下に示す ・指伸筋：すべての指の MP 関節を伸展させる．この際，IP 関節は軽度屈曲としてもよい ・示指伸筋：示指の MP 関節を伸展させる ・小指伸筋：第 5 指の MP 関節を伸展させる

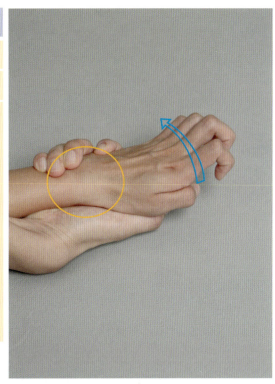

	正常（normal）：5 ◆ 優（good）：4
検査肢位	座位
固 定	手関節
抵抗部位	基節骨背側面の MP 関節遠位部
検 査	5：被検者に段階 3 の終了肢位を保持させる．検者の適度な強い抵抗に打ち勝ち，その肢位が保持可能である 4：被検者に段階 3 の終了肢位を保持させる．検者のある程度の抵抗に打ち勝ち，その肢位が保持可能である

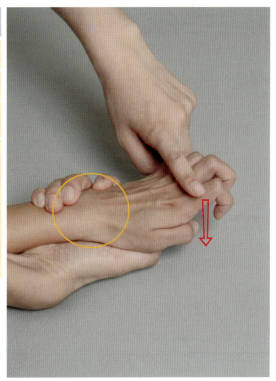

第3章 上肢

可（poor）：2	
検査肢位	座位
固定	手関節
検査	被検者に前腕を中間位にとらせ重力の影響を最小限にし，MP関節およびIP関節の力を抜いた状態からMP関節の伸展を行わせる．この時，自動運動可能な範囲で運動が可能かを確認する．なお，指伸筋，示指伸筋，小指伸筋，それぞれについて実施する

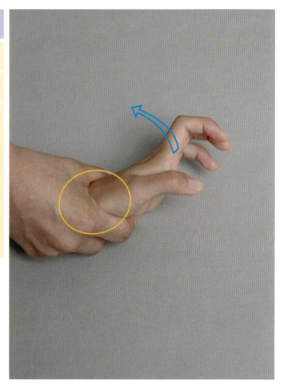

不可（trace）：1 ◆ ゼロ（zero）：0	
検査肢位	座位
固定	手関節
触知部位	なし〔指伸筋腱（4本），示指伸筋腱（1本），小指伸筋腱（1本）が手背で容易に観察できる〕
検査	1：運動は起こらないが，指伸筋では指伸筋腱（4本），示指伸筋では示指伸筋腱（1本），小指伸筋では小指伸筋腱（1本）の動きがみえる 0：なんらかの動きもみられない

第3章　上肢

IV 代償動作

1 手関節の屈曲を許せば，指伸筋，示指伸筋，小指伸筋の緊張が増し，IP 関節の他動的伸展による代償動作が起こるため（腱固定作用），手関節が中間位を保持するよう注意する．

V *Advance*

・指の MP 関節伸展は強力な動作ではないため，抵抗は軽いものでよい．

・指の MP 関節伸展の自動運動範囲は，他動運動範囲よりかなり小さいのが普通である．よって，このテストの運動範囲は自動運動範囲でよい．

29 近位指節間(PIP)関節屈曲

参考可動域 0〜100°

I 主動作筋

筋 名	起 始	停 止	神 経
浅指屈筋 flexor digitorum superficialis muscle	上腕尺骨頭：上腕骨内側上顆，尺骨鉤状突起 橈骨頭：橈骨前側面	第2〜5指中節骨底の掌側面	正中神経 C7〜T1

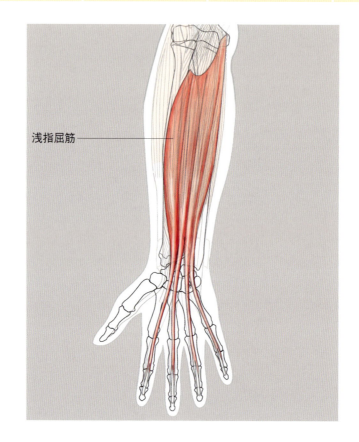

浅指屈筋

第3章　上肢

II 固定と抵抗

1 検査する指以外のすべての指の全関節を伸展位に固定する．
2 抵抗をかける部位は指の中節骨頭とする．
3 抵抗をかける際は，検者の指を被検者の指の中節骨頭に当て，伸展方向に抵抗を加える．

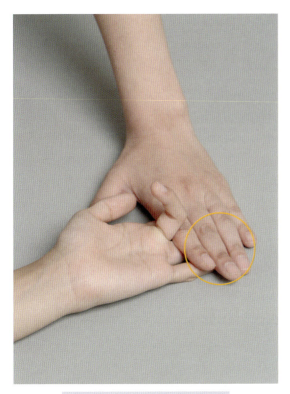

すべての指の全関節の固定

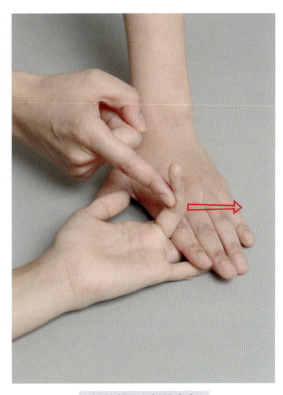

抵抗部位と抵抗方向

第3章　上肢

Ⅲ　検査方法

良（fair）：3	
検査肢位	座位
固　　定	非検査指の全関節
検　　査	被検者に前腕を回外位，手関節を中間位，検査する指はMP関節で軽度屈曲位にさせた位置から遠位指節間（DIP）関節を屈曲させず，PIP関節を屈曲保持させる．なお，検査は指1本ずつ行う

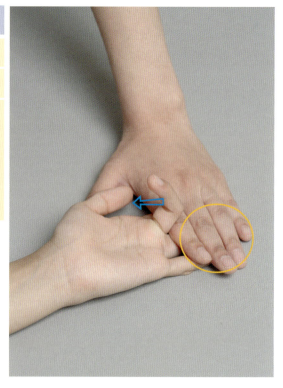

正常（normal）：5◆優（good）：4	
検査肢位	座位
固　　定	非検査指の全関節
抵抗部位	中節骨頭
検　　査	5：被検者に段階3の終了肢位を保持させる．検者の最大抵抗に打ち勝ち，その肢位が保持可能である 4：被検者に段階3の終了肢位を保持させる．検者の適度な抵抗で，その肢位が保持可能である

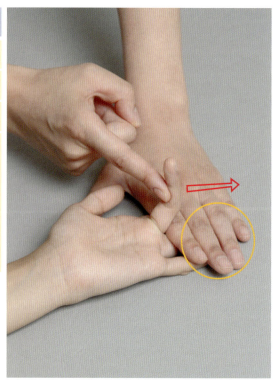

第3章 上肢

可 (poor) : 2	
検査肢位	座位
固　　定	手関節中間位で非検査指の全関節伸展
検　　査	検者は被検者の前腕を中間位にとらせ，重力の影響を最小限にする．その後，被検者に検査する指のMP関節を軽度屈曲位にさせた位置からDIP関節を屈曲させず，PIP関節の屈曲を行わせる．この時，全運動範囲で運動が可能かを確認する

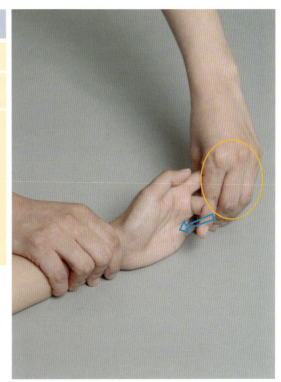

不可 (trace) : 1 ◆ ゼロ (zero) : 0	
検査肢位	座位
固　　定	手関節中間位で非検査指の全関節伸展
触知部位	手関節掌側面上の浅指屈筋
検　　査	1：被検者の長掌筋と尺側手根屈筋の間で，手関節の掌側面上に浅指屈筋の収縮が触知できる．あるいは目にみえる収縮活動がある 0：筋収縮を認めない

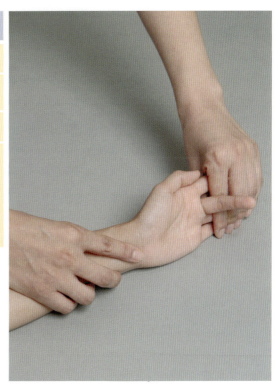

Ⅳ 代償動作

1 DIP関節の屈曲を許せば，深指屈筋により代償動作としてPIP関節の屈曲が起こるので注意する（指の末端を検者の親指で弾き，力が入っていないかを確かめる）．
2 手関節の伸展を許せば，浅指屈筋，深指屈筋の緊張が増し，指節間(IP)関節の他動的屈曲による代償動作が起こるため（腱固定作用），手関節が中間位を保持するよう注意する．
3 IP伸展を緩めると他動的なIP屈曲位となるので注意する．

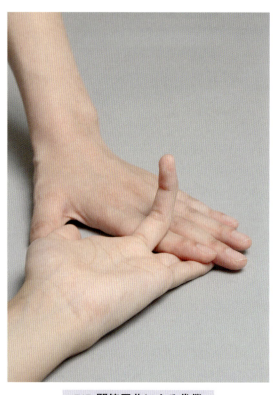

PIP関節屈曲による代償

手関節伸展による代償

Ⅴ *Advance*

・小指の浅指屈筋の分離した動きは常に可能ではないため，小指のみの単独運動を行えない場合もある．その場合は，小指と環指を同時にテストしてもよい．

30 遠位指節間（DIP）関節屈曲

参考可動域　0～90°

I 主動作筋

筋　名	起　始	停　止	神　経
深指屈筋 flexor digitorum profundus muscle	尺骨軸，尺骨鉤状突起前腕骨間膜	第2～5指末節骨底の掌側面	正中神経〔前（前腕）骨間神経〕，尺骨神経 C7～T1

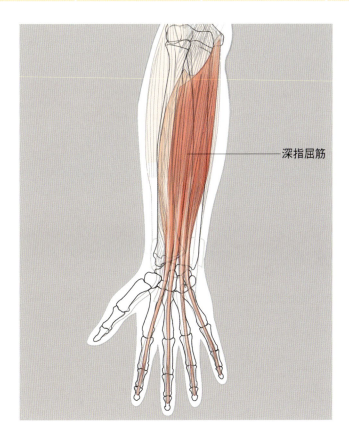

深指屈筋

211

第3章 上肢

II 固定と抵抗

1 指腹面を保持すると腱の滑走を妨げるため，指中節を両側からつまんで伸展位に固定する．
2 抵抗をかける部位は，指の末節骨とする．
3 抵抗をかける際は，検者の指を被検者の指の末節骨に当て，伸展する方向に抵抗を加える．

指中節の固定

抵抗部位と抵抗方向

Ⅲ 検査方法

良（fair）：3	
検査肢位	座位
固　定	中節骨
検　査	被検者に前腕を回外位，手関節を中間位，検査する指のPIP関節を伸展位にさせた位置からDIP関節を屈曲保持させる．なお，検査は指1本ずつ行う

正常（normal）：5 ◆ 優（good）：4	
検査肢位	座位
固　定	中節骨
抵抗部位	末節骨
検　査	5：被検者に段階3の終了肢位を保持させる．検者の最大抵抗に打ち勝ち，その肢位が保持可能である 4：被検者に段階3の終了肢位を保持させる．検者の適度な抵抗なら，その肢位が保持可能である

第3章 上肢

可 (poor)：2	
検査肢位	座位
固　定	中節骨
検　査	検者は被検者の前腕を中間位にとらせ，重力の影響を最小限にする．その後，被検者に検査する指のPIP関節を伸展位にさせた位置からDIP関節の屈曲運動が可能なかぎり行えるかを確認する

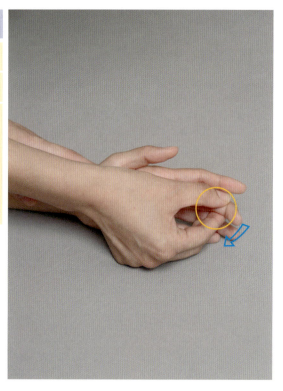

不可 (trace)：1 ◆ ゼロ (zero)：0	
検査肢位	座位
固　定	中節骨
触知部位	指中節掌側面の深指屈筋腱
検　査	1：被検者の指中節掌側面で深指屈筋腱の収縮が触知できる．あるいは目にみえる収縮活動がある 0：筋収縮を認めない

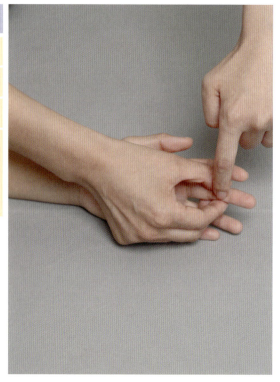

Ⅳ 代償動作

1 手関節の伸展を許せば，浅指屈筋，深指屈筋の緊張が増し，指節間(IP)関節の他動的屈曲による代償動作が起こるため(腱固定作用)，手関節が中間位を保持するよう注意する．
2 IP伸展を緩めると他動的なIP屈曲位となるので注意する．

すべての指の全関節の固定

31 指外転

参考可動域 0〜20°

I 主動作筋

筋 名	起 始	停 止	神 経
背側骨間筋（4筋） dosal interossei muscles	各2頭をもって，第1〜5中手骨の対向側から起こる	第2〜4指の指背腱膜	尺骨神経（橈骨側の一部は正中神経を受けることがある） C8〜T1
小指外転筋 abductor digiti minimi muscle	豆状骨，尺側手根屈筋腱	小指の基節骨底の尺骨側，指背腱膜	尺骨神経 C1〜T1
補助筋			
指伸筋，小指伸筋			

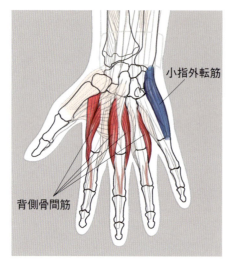
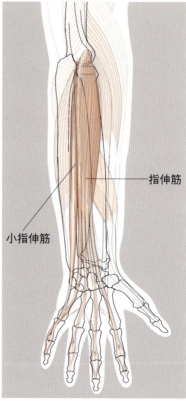

第3章 上肢

II 固定と抵抗

1 手関節を屈伸中間位に固定する．
2 抵抗をかける部位は，検査する指の末節骨橈側と隣の指の末節骨尺側とする．
3 抵抗をかける際は，検者の指で被検者の指の末節骨橈側と隣の指の末節骨尺側を寄せ合わす方向に抵抗を加える．

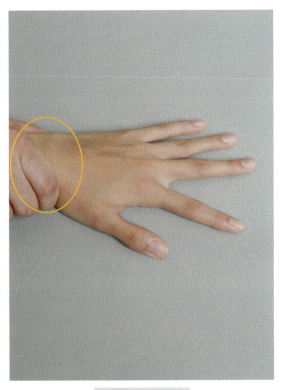

手関節の固定

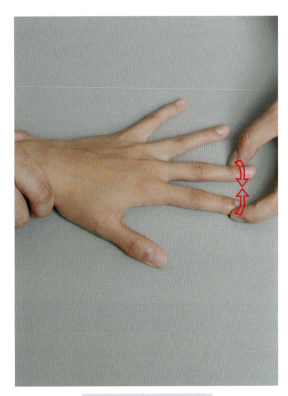

抵抗部位と抵抗方向

第3章 上肢

III 検査方法

良（fair）：3

検査肢位	座位
固　　定	手関節
検　　査	被検者に前腕を回内位，MP関節を中間位，検査する指は伸展・内転位にさせた位置から外転保持させる．なお，検査は指1本ずつ行う ・背側骨間筋：第4指は第5指の方向に外転，第3指は第4指および第2指の方向に外転，第2指は母指の方向に外転させる ・小指外転筋：第5指が第4指から離れるように外転させる

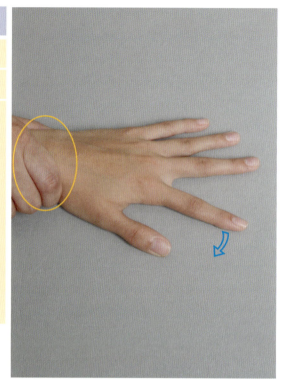

正常（normal）：5 ◆ 優（good）：4

検査肢位	座位
固　　定	手関節
抵抗部位	検査する指の末節骨橈側と隣の指の末節骨尺側
検　　査	被検者に検査する指同士がつかないように保持させる 5：検者の抵抗に打ち勝ち，その肢位が保持可能である 4：検者の段階5よりも弱い抵抗に打ち勝ち，その肢位が保持可能である ※背側骨間筋，小指外転筋ともに，大きな抵抗に持ちこたえることはできない．よって，段階5と4の筋の段階づけの差は，健側との比較が可能な場合にはそれに基づいて判定し，あるいは臨床的な経験に基づいて判定する必要がある

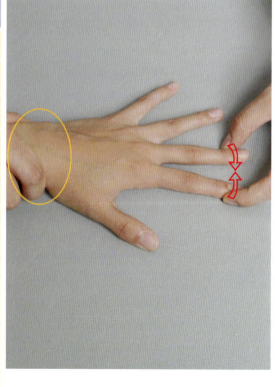

第3章 上肢

可（poor）：2 ◆ 不可（trace）：1 ◆ ゼロ（zero）：0		
検査肢位	座位
固　　定	手関節
触知部位	基節底の第1背側骨間筋，尺側縁の小指外転筋である
検　　査	被検者に前腕を回内位，MP関節を中間位，検査する指は伸展・内転位にさせた位置から，外転方向へ運動が行えるかを確認する 2：部分的に運動が可能である 1：運動が起こらないが筋収縮が触知できる 0：筋収縮を認めない

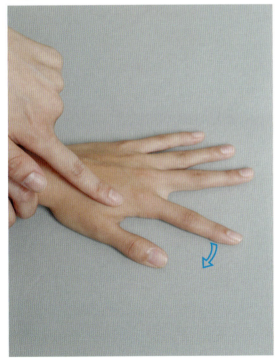

基節底の第1背側骨間筋の触知

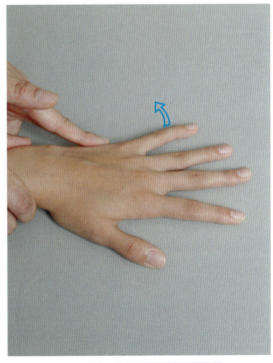

尺側縁の小指外転筋の触知

Ⅳ *Advance*

- 第3指については，2つの背側骨間筋をもっているので，両方向の運動を忘れずに検査する．
- 段階5の検査では，各指を内転させる方向に弾いてみることで抵抗を加え，元通りの位置に指が跳ね返ってくれば段階5として判断してもよい．

上肢

32 指内転

参考可動域 20〜0°

I 主動作筋

筋　名	起　始	停　止	神　経
掌側骨間筋（3筋） palmar interossei muscles	第2，4，5中手骨側面	第2，4，5指の指背腱膜	尺骨神経（橈骨側の一部は正中神経を受けることがある） C8〜T1
補助筋				
示指伸筋				

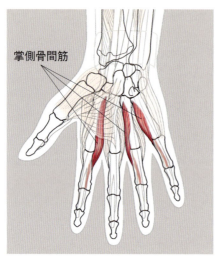

掌側骨間筋

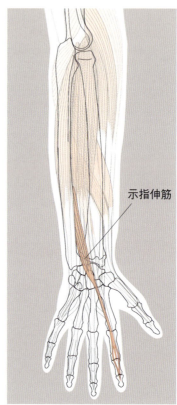

示指伸筋

第3章 上肢

II 固定と抵抗

1 固定は特になし．
2 抵抗をかける部位は，隣り合う2本の指の中節骨とする．
3 抵抗かける際は，検者の手で被検者の隣り合う2本の指の中節骨を把持し，指を外転させる方向に抵抗を加える．

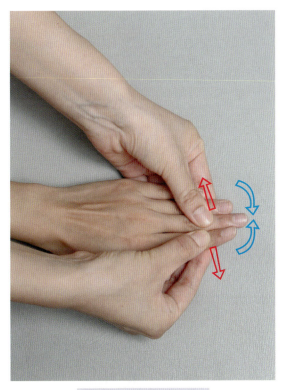

抵抗部位と抵抗方向

第3章 上肢

Ⅲ 検査方法

正常（normal）：5 ◆ 優（good）：4 ◆ 良（fair）：3	
検査肢位	座位
固　　定	特になし
抵抗部位	検査する指の中節骨
検　　査	被検者に前腕を回内位，MP関節を中間位，検査する指は伸展・内転位にさせた位置から第3指に向かって内転保持させる（指を閉じさせる）．なお，検査は指1本ずつ行う 3：抵抗がない場合は指を閉じていられるが，抵抗が加えられた時には，それに抗してまで内転を保持できない 5および4：検者の抵抗に打ち勝ち，その肢位が保持可能である（段階5と4の区別は必要ない）

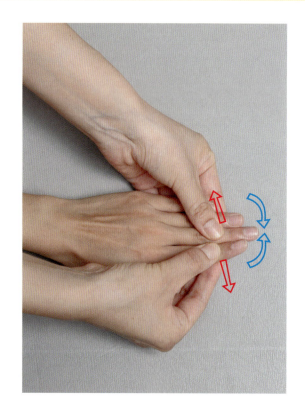

第3章 上肢

可（poor）：2 ◆ 不可（trace）：1 ◆ ゼロ（zero）：0		
検査肢位	座位
固　　定	特になし
触知部位	検査する指の側面（掌側骨間筋の触知が可能なのはまれ）
検　　査	被検者に前腕を回内位，MP関節を中間位，指は伸展・内転位をとらせる．検査する指は外転位をとらせ，内転方向への運動が行えるかを確認する 2：運動の一部が可能である 1：段階2以下の筋の外に向かう軽い動きがある 0：動きがまったくない

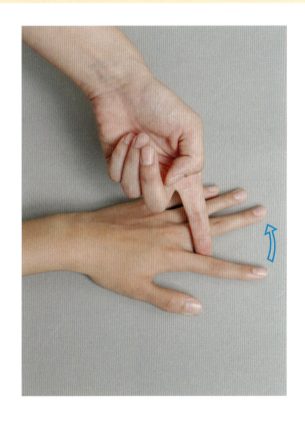

第 3 章　上肢

Ⅳ　代償動作

1 長指屈筋（浅指屈筋，深指屈筋）は指を内転させる作用があるため，指の屈曲が起こらないように注意する．

Ⅴ　*Advance*

- ・第 3 指には掌側骨間筋は存在しないので，内転検査は実施しない．
- ・掌側骨間筋は，あまり抵抗に耐えられない弱い筋であるため，段階 5 と 4 の区別は必要ない．よって，段階の区別は経験により左右される．
- ・指末節を把持して外転方向に弾き，指が跳ね返って戻るかを検査し，ぱちんと元に戻る運動を示すようであれば，機能が残っていると判断できる．

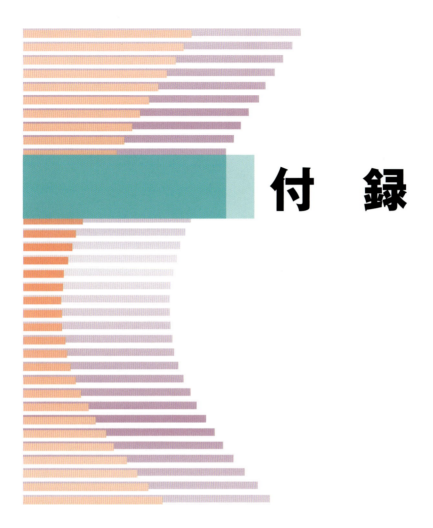

付　録

表1　筋力検査と検査肢位（頭部・頸部・上肢：手指は表2参照）

背臥位

部位	運動	5	4	3	2	1	0
頭部	屈曲	5	4	3	2	1	0
頭部	伸展	—	—	—	2	1	0
頸部	屈曲	5	4	3	2	1	0
頸部	伸展	—	—	—	2	1	0
頸部	回旋	5	4	3	—	—	—
肩関節	外転	—	—	—	2	1	0
肩関節	水平内転（屈曲）	5	4	3	—	—	—

側臥位

部位	運動	5	4	3	2	1	0
肩関節	屈曲	—	—	—	2	1	0
肘関節	屈曲	—	—	—	—	1	0

腹臥位

部位	運動	5	4	3	2	1	0
頭部	伸展	5	4	3	—	—	—
頸部	伸展	5	4	3	—	—	—
肩甲骨	挙上	—	—	—	2	1	0
肩甲骨	内転と下制	5	4	3	2	1	0
肩甲骨	内転	5	4	3	2	1	0
肩甲骨	内転と下方回旋	5	4	3	—	—	—
肩甲骨	下制	5	4	3	2	1	0
肩関節	伸展	5	4	3	2	1	0
肩関節	水平外転（伸展）	5	4	3	—	—	—
肘関節	伸展	5	4	3	—	—	—

座位

部位	運動	5	4	3	2	1	0
頸部	回旋	—	—	—	2	1	0
肩甲骨	挙上	5	4	3	—	—	—
肩甲骨	外転と上方回旋	5	4	3	2	1	0
肩甲骨	内転と下方回旋	—	—	—	2	1	0
肩関節	屈曲	5	4	3	—	—	—
肩関節	外転	5	4	3	—	—	—
肩関節	外旋	5	4	3	2	1	0
肩関節	内旋	5	4	3	2	1	0
肩関節	水平外転（伸展）	—	—	—	2	1	0
肩関節	水平内転（屈曲）	—	—	—	2	1	0
肘関節	屈曲	5	4	3	2	—	—
肘関節	伸展	—	—	—	2	1	0
前腕	回外	5	4	3	2	1	0
前腕	回内	5	4	3	2	1	0
手関節	屈曲	5	4	3	2	1	0
手関節	伸展	5	4	3	2	1	0

部位別（検査肢位付き）

部位	運動	5	4	3	2	1	0	肢位
頭部	屈曲	5	4	3	2	1	0	背臥位
頭部	伸展	5	4	3				腹臥位
頭部	伸展				2	1	0	背臥位
頸部	屈曲	5	4	3	2	1	0	背臥位
頸部	伸展	5	4	3				腹臥位
頸部	伸展				2	1	0	背臥位
頸部	回旋	5	4	3				背臥位
頸部	回旋				2	1	0	座位
肩甲骨	挙上	5	4	3				座位
肩甲骨	挙上				2	1	0	腹臥位
肩甲骨	外転と上方回旋	5	4	3	2	1	0	座位
肩甲骨	内転と下制	5	4	3	2	1	0	腹臥位
肩甲骨	内転	5	4	3	2	1	0	腹臥位
肩甲骨	内転と下方回旋	5	4	3				腹臥位
肩甲骨	内転と下方回旋				2	1	0	座位
肩甲骨	下制	5	4	3	2	1	0	腹臥位
肩関節	屈曲	5	4	3				座位
肩関節	屈曲				2	1	0	側臥位
肩関節	伸展	5	4	3	2	1	0	腹臥位
肩関節	外転	5	4	3				座位
肩関節	外転				2	1	0	背臥位
肩関節	外旋	5	4	3	2	1	0	座位
肩関節	内旋	5	4	3	2	1	0	座位
肩関節	水平外転（伸展）	5	4	3				腹臥位
肩関節	水平外転（伸展）				2	1	0	座位
肩関節	水平内転（屈曲）	5	4	3				背臥位
肩関節	水平内転（屈曲）				2	1	0	座位
肘関節	屈曲	5	4	3	2			座位
肘関節	屈曲					1	0	側臥位
肘関節	伸展	5	4	3				腹臥位
肘関節	伸展				2	1	0	座位
前腕	回外	5	4	3	2	1	0	座位
前腕	回内	5	4	3	2	1	0	座位
手関節	屈曲（掌屈）	5	4	3	2	1	0	座位
手関節	伸展（背屈）	5	4	3	2	1	0	座位

表 2　筋力検査と検査肢位（手指：検査肢位は座位のみ）

前腕回外位							
母指 MP 関節	屈　曲	5	4	3	2	1	0
母指 IP 関節	屈　曲	5	4	3	2	1	0
母　指	外転（長母指）	5	4	3	2	1	0
	外転（短母指）	5	4	3	―	―	―
	対　立	5	4	3	2	1	0
MP 関節	屈　曲	5	4	3	―	―	―
PIP 関節	屈　曲	5	4	3	―	―	―
DIP 関節	屈　曲	5	4	3	―	―	―

前腕中間位							
母指 MP 関節	伸　展	5	4	3	2	1	0
	屈　曲	―	―	―	2	1	0
母指 IP 関節	屈　曲	―	―	―	2	1	0
	伸　展	5	4	3	―	―	―
母　指	外転（短母指）	―	―	―	2	1	0
	内　転	―	―	―	2	1	0
MP 関節	屈　曲	―	―	―	2	1	0
	伸　展	―	―	―	2	1	0
PIP 関節	屈　曲	―	―	―	2	1	0
DIP 関節	屈　曲	―	―	―	2	1	0

前腕回内位							
母指 IP 関節	伸　展	―	―	―	2	1	0
母　指	内　転	5	4	3	―	―	―
MP 関節	伸　展	5	4	3	―	―	―
指	外　転	5	4	3	2	1	0
	内　転	5	4	3	2	1	0

母指 MP 関節	屈　曲	5	4	3	2	1	0	前腕回外位
母指 IP 関節	屈　曲	5	4	3	2	1	0	前腕回外位
母指 MP 関節	伸　展	5	4	3	2	1	0	前腕中間位
母指 IP 関節	伸　展	5	4	3	―	―	―	前腕中間位
		―	―	―	2	1	0	前腕回内位
母　指	外転（長母指）	5	4	3	2	1	0	前腕回外位
	外転（短母指）	5	4	3	―	―	―	前腕回外位
		―	―	―	2	1	0	前腕中間位
	内　転	5	4	3	―	―	―	前腕回内位
		―	―	―	2	1	0	前腕中間位
	対　立	5	4	3	2	1	0	前腕回外位
MP 関節	屈　曲	5	4	3	―	―	―	前腕回外位
		―	―	―	2	1	0	前腕中間位
	伸　展	5	4	3	―	―	―	前腕回内位
		―	―	―	2	1	0	前腕中間位
PIP 関節	屈　曲	5	4	3	―	―	―	前腕回外位
		―	―	―	2	1	0	前腕中間位
DIP 関節	屈　曲	5	4	3	―	―	―	前腕回外位
		―	―	―	2	1	0	前腕中間位
指	外　転	5	4	3	2	1	0	前腕回内位
	内　転	5	4	3	2	1	0	前腕回内位

付　録

表 3　筋力検査結果（頭部・頸部・上肢：手指は表 4 参照）

対象者名：＿＿＿＿＿＿＿＿＿＿＿＿

/ /	/ /	/ /	日　付	/ /	/ /	/ /

右			頭　部	左		
			屈　曲			
			伸　展			

右			頸　部	左		
			屈　曲			
			伸　展			
			回　旋			

右			肩甲骨	左		
			挙　上			
			外転と上方回旋			
			内転と下制			
			内　転			
			内転と下方回旋			
			下　制			

右			肩関節	左		
			屈　曲			
			伸　展			
			外　転			
			外　旋			
			内　旋			
			水平外転（伸展）			
			水平内転（屈曲）			

右			肘関節	左		
			屈　曲			
			伸　展			

右			前　腕	左		
			回　外			
			回　内			

右			手関節	左		
			屈曲（掌屈）			
			伸展（背屈）			

			実施者			

付 録

表4　筋力検査結果（手指）

対象者名：＿＿＿＿＿＿＿＿＿＿＿＿＿

| 日 付 | ／ ／ | ／ ／ | ／ ／ | 　 | ／ ／ | ／ ／ | ／ ／ |

右			母指	左		
			中手指節（MP）関節屈曲			
			指節間（IP）関節屈曲			
			中手指節（MP）関節伸展			
			指節間（IP）関節伸展			
			外転（長母指外転筋）			
			外転（短母指外転筋）			
			内　転			
母指	母指	母指	対　立	母指	母指	母指
小指	小指	小指		小指	小指	小指

右			指	左		
			中手指節（MP）関節屈曲			
			中手指節（MP）関節伸展			
2指	2指	2指	近位指節間（PIP）関節屈曲	2指	2指	2指
3指	3指	3指		3指	3指	3指
4指	4指	4指		4指	4指	4指
5指	5指	5指		5指	5指	5指
2指	2指	2指	外転（第1背側骨間筋）	2指	2指	2指
3指	3指	3指	（第2背側骨間筋）	3指	3指	3指
3指	3指	3指	（第3背側骨間筋）	3指	3指	3指
4指	4指	4指	（第4背側骨間筋）	4指	4指	4指
5指	5指	5指	（小指外転筋）	5指	5指	5指
2指	2指	2指	内転（第1掌側骨間筋）	2指	2指	2指
4指	4指	4指	（第2掌側骨間筋）	4指	4指	4指
5指	5指	5指	（第3掌側骨間筋）	5指	5指	5指
2指	2指	2指	近位指節間（PIP）関節屈曲	2指	2指	2指
3指	3指	3指		3指	3指	3指
4指	4指	4指		4指	4指	4指
5指	5指	5指		5指	5指	5指
2指	2指	2指	近位指節間（DIP）関節屈曲	2指	2指	2指
3指	3指	3指		3指	3指	3指
4指	4指	4指		4指	4指	4指
5指	5指	5指		5指	5指	5指
			外転（小指外転筋）			
2指	2指	2指	内転（掌側骨間筋）	2指	2指	2指
4指	4指	4指		4指	4指	4指
5指	5指	5指		5指	5指	5指

			実施者			

付　録

表 5　代表的な代償動作一覧（頭部・頸部・上肢：手指は表 6 参照）

関　節	運　動	主動作筋	代償運動	代償を起こす筋
頭　部	屈　曲	頭部の屈筋群	頸部屈曲	頸部の屈筋群
	伸　展	頭部の伸筋群	体幹伸展	体幹の伸筋群
頸　部	屈　曲	頸部の屈筋群	口角が下がり広頸筋の強い収縮を認める	広頸筋
	伸　展	頸部の伸筋群	体幹伸展	体幹の伸筋群
	回　旋	頭部の屈伸筋群	頭頸部屈伸側屈	頸部の屈伸筋群
肩甲骨	挙　上	僧帽筋（上部），肩甲挙筋	体幹屈曲	体幹の屈筋群
			肩甲骨外転	大・小胸筋，前鋸筋
	外転と上方回旋	前鋸筋，僧帽筋（上部・下部）	体幹伸展・回旋	体幹の伸筋群・回旋筋群
				肩甲骨の内転筋群
	内転と下制	僧帽筋（下部・中部）	体幹伸展・回旋	体幹の伸筋群・回旋筋群
	内　転	僧帽筋（中部），大・小菱形筋	体幹伸展・回旋	体幹の伸筋群・回旋筋群
			肩関節水平伸展	三角筋（後部）
	内転と下方回旋	大・小菱形筋	体幹伸展・回旋	体幹の伸筋群・回旋筋群
			肘関節挙上	三角筋（後部），肩甲骨の内転筋群
	下　制	広背筋，大円筋，三角筋	体幹側屈	体幹の回旋筋群，伸筋群
肩関節	屈　曲	三角筋（前部），烏口腕筋	体幹伸展・回旋・側屈	体幹の伸筋群・回旋筋群・側屈筋群
			肘関節屈曲（肩関節外旋・前腕回外位）	上腕二頭筋
	伸　展	三角筋（後部），広背筋，大円筋	体幹伸展・回旋	体幹の伸筋群・回旋筋群
	外　転	三角筋（中部），棘上筋	体幹伸展・側屈	体幹の伸筋群・側屈筋群
			肘関節屈曲（肩関節外旋，前腕回外位）	上腕二頭筋
	外　旋	棘下筋，小円筋	頭部・体幹回旋，肩甲骨内転，前腕回外	頭部・体幹の回旋筋群，肩甲骨の内転筋群，回外筋・上腕二頭筋
	内　旋	肩甲下筋，大円筋，広背筋，大胸筋	頭部・体幹回旋，肩甲骨内転，前腕回内	頭部・体幹の回旋筋群，肩甲骨の内転筋群，円回内筋，方形回内筋
	水平外転（伸展）	三角筋（後部）	体幹伸展・回旋，肩甲骨内転	体幹の伸展・回旋筋群，肩甲骨の内転筋群
			肘関節伸展	上腕三頭筋
	水平内転（屈曲）	大胸筋	肘関節屈曲	上腕二頭筋
			頭部回旋，体幹回旋	頭部・体幹の回旋筋群

付 録

表5 つづき

関 節	運 動	主動作筋	代償運動	代償を起こす筋
肘関節	屈 曲	上腕二頭筋, 上腕筋, 腕橈骨筋	手関節掌屈	手関節の屈筋群
			肩甲骨挙上, 肩関節伸展	僧帽筋(上部), 三角筋(後部)
	伸 展	上腕三頭筋	肩甲骨内転, 肩関節水平外転	僧帽筋(中部), 三角筋(後部)
			手関節背屈	手関節の伸筋群
前 腕	回 外	回外筋, 上腕二頭筋	肩関節屈曲・外旋	三角筋(前部), 棘下筋, 小円筋
			手関節背屈・橈屈	長橈側手根伸筋, 短橈側手根伸筋
	回 内	円回内筋, 方形回内筋	肩関節外転・内旋	三角筋(中部), 肩甲下筋, 大円筋
			手関節掌屈	橈側手根屈筋, 指屈筋
手関節	屈曲(掌屈)	橈側手根屈筋, 尺側手根屈筋	手指屈曲	指屈筋
	伸展(背屈)	長・短橈側手根伸筋, 尺側手根伸筋	手指伸展	指伸筋

表6 代表的な代償動作一覧（手指）

関 節	運 動	主動作筋	代償運動	代償を起こす筋
母指中手指節(MP)関節	屈 曲	短母指屈筋	母指指節間(IP)関節屈曲	長母指屈筋
			母指対立	母指対立筋
	伸 展	短母指伸筋	手根中手(CMC)関節内転	長母指伸筋
母指指節間(IP)関節	伸 展	長母指伸筋	手根中手(CMC)関節屈曲	短母指外転筋, 短母指屈筋, 母指内転筋
			母指内転	母指内転筋
母 指	外 転	長母指外転筋, 短母指外転筋	母指伸展による見せかけの外転	短母指伸筋
	内 転	母指内転筋	母指屈曲による見せかけの内転	長母指屈筋, 短母指屈筋
			母指伸展による見せかけの内転	長母指伸筋
母指・小指	対 立	母指対立筋, 小指対立筋	母指と小指の指尖がつく対立位	長母指屈筋, 短母指屈筋
			母指掌側外転	短母指外転筋
指中手節(MP)関節	屈 曲	虫様筋(4筋), 背側骨間筋(4筋), 掌側骨間筋(3筋)	指節間(IP)関節屈曲	深指屈筋, 浅指屈筋
	伸 展	指伸筋, 示指伸筋, 小指伸筋	手関節屈曲による他動的伸展(腱固定作用)	(指伸筋, 示指伸筋, 小指伸筋)
近位指節間(PIP)関節	屈 曲	浅指屈筋	遠位指節間(DIP)関節屈曲	深指屈筋
			手関節伸展による他動的屈曲(腱固定作用)	(深指屈筋, 浅指屈筋)
遠位指節間(DIP)関節	屈 曲	深指屈筋	手関節伸展による他動的屈曲(腱固定作用)	(深指屈筋, 浅指屈筋)
指	内 転	掌側骨幹筋(3筋)	指屈曲	深指屈筋, 浅指屈筋

付　録

表7　MMT－頭部・頸部

氏名：　　　　　（　　歳　男・女）

疾患名：　　　　　　　　　　　　　　　　障害部位　右・左（　　）

右 日付	日付	日付	運動		主動作筋	末梢	C1	C2	C3	C4	C5	C6	C7	5 4 3 2 1 0	左 日付	日付	日付
/	/	/													/	/	/
			頭部 1 屈曲		前頭直筋	頸神経叢	●	●						背臥位			
					外側頭直筋	頸神経前枝	●	●									
					頭長筋	頸神経	●	●	●	●							
			2 伸展		大後頭直筋	後頭下神経	●							腹臥位 | 背臥位			
					小後頭直筋	後頭下神経	●										
					頭最長筋	脊髄神経後枝											
					上頭斜筋	後頭下神経	●										
					下頭斜筋	頸神経後枝	●	●									
					頭板状筋	頸神経後枝			●	●	●						
					頭半棘筋	脊髄神経後枝											
					僧帽筋（上部）	副・頸神経		●	●	●							
					頭棘筋	脊髄神経後枝											
			頸部 3 屈曲		胸鎖乳突筋	副神経，頸神経叢		●	●					背臥位			
					頸長筋	頸神経前枝		●	●	●	●	●					
					前斜角筋	頸神経前枝				●	●	●					
			4 伸展		頸最長筋	脊髄神経後枝								腹臥位 | 背臥位			
					頸半棘筋	脊髄神経後枝											
					頸腸肋筋	脊髄神経後枝											
					頸板状筋	頸神経後枝		●	●	●	●						
					僧帽筋（上部）	副・頸神経		●	●	●	●						
					頸棘筋	脊髄神経後枝											
			5 回旋		頸回旋筋	脊髄神経後枝								背臥位 | 座位			
					胸鎖乳突筋	副神経，頸神経叢		●	●								
					大後頭直筋	後頭下神経	●										
					頭半棘筋	脊髄神経後枝			●	●	●						
					頸板状筋	頸神経後枝			●	●	●						
					下頭斜筋	頸神経後枝	●	●									

付　録

表8　MMT―上肢

氏名：　　　　　　（　　　歳　男・女）

疾患名：　　　　　　　　　　　　　　　　障害部位　右・左（　　　）

右 (日付 / 日付 / 日付)			運動		主動作筋	末梢（支配神経）	検査肢位	左 (日付 / 日付 / 日付)
/	/	/						/ / /
			肩甲骨	1 挙上	僧帽筋（上部)	副・頸神経	座位 / 腹臥位	
					肩甲挙筋	肩甲背・頸神経		
				2 外転と上方回旋	前鋸筋	長胸神経	座位	
					僧帽筋（上・下部)	副・頸神経		
				3 内転と下制	僧帽筋（中・下部)	副・頸神経	腹臥位	
				4 内転	僧帽筋（中部)	副・頸神経	腹臥位	
					大菱形筋	肩甲背神経		
					小菱形筋	肩甲背神経		
				5 内転と下方回旋	大菱形筋	肩甲背神経	腹臥位 / 座位	
					小菱形筋	肩甲背神経		
				6 下制	広背筋	胸背神経	腹臥位	
					大円筋	肩甲下神経		
					三角筋	腋窩神経		
			肩関節	7 屈曲	三角筋（前部)	腋窩神経	座位 / 側臥位	
					烏口腕筋	筋皮神経		
				8 伸展	三角筋（後部)	腋窩神経	腹臥位	
					広背筋	胸背神経		
					大円筋	肩甲下神経		
				9 外転	三角筋（中部)	腋窩神経	座位 / 背臥位	
					棘上筋	肩甲上神経		
				10 外旋	棘下筋	肩甲上神経	座位	
					小円筋	腋窩神経		
				11 内旋	肩甲下筋	肩甲下神経	座位	
					大円筋	肩甲下神経		
					広背筋	胸背神経		
					大胸筋	内側・外側胸筋神経		
				12 水平外転（伸展)	三角筋（後部)	腋窩神経	腹臥位 / 座位	
				13 水平内転（屈曲)	大胸筋	内側・外側胸筋神経	背臥位 / 座位	
			肘関節	14 屈曲	上腕二頭筋	筋皮神経	座位 / 側臥位	
					上腕筋	筋皮神経		
					腕橈骨筋	橈骨神経		
				15 伸展	上腕三頭筋	橈骨神経	腹臥位 / 座位	
			前腕	16 回外	回外筋	橈骨神経	座位	
					上腕二頭筋	筋皮神経		
				17 回内	円回内筋	正中・筋皮神経	座位	
					方形回内筋	正中神経		
			手関節	18 屈曲（掌屈)	橈側手根屈筋	正中神経	座位	
					尺側手根屈筋	尺骨神経		
				19 伸展（背屈)	長橈側手根伸筋	橈骨神経	座位	
					短橈側手根伸筋	橈骨神経		
					尺側手根伸筋	橈骨神経		
			母指・小指	20 MP屈曲	短母指屈筋	正中・尺骨神経	座位	
				21 IP屈曲	長母指屈筋	正中神経	座位	
				22 MP伸展	短母指伸筋	橈骨神経	座位	
				23 IP伸展	長母指伸筋	橈骨神経	座位	
				24 母指外転	長母指外転筋	橈骨神経	座位	
					短母指外転筋	正中神経		
				25 母指内転	母指内転筋	尺骨神経	座位	
				26 母指および小指対立	母指対立筋	正中神経	座位	
					小指対立筋	尺骨神経		
			手指	27 MP屈曲	虫様筋	正中・尺骨神経	座位	
					背側骨間筋	尺骨神経		
					掌側骨間筋	尺骨神経		
				28 MP伸展	指伸筋	橈骨神経	座位	
					示指伸筋	橈骨神経		
					小指伸筋	橈骨神経		
				29 PIP屈曲	浅指屈筋	正中神経	座位	
				30 DIP屈曲	深指屈筋	正中・尺骨神経	座位	
				31 外転	背側骨間筋	尺骨神経	座位	
					小指外転筋	尺骨神経		
				32 内転	掌側骨間筋	尺骨神経	座位	

支配神経欄：C1　C2　C3　C4　C5　C6　C7　C8　T1
検査肢位欄：5　4　3　2　1　0

233

付　録

表9　頭部・頸部・上肢のMMT実施チャート

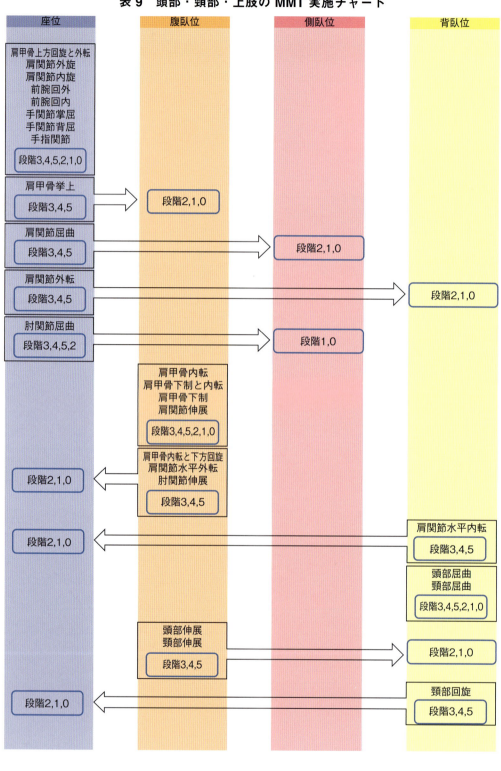

付　録

表 10　各検査の肢位・固定または触知・抵抗または支持一覧

段　階	肢　位	固定または触知	抵抗または支持	備　考
肩甲骨挙上（僧帽筋上部線維）				
3	座　位	体幹屈曲，肩甲骨外転しないように体幹固定	なし	
4	座　位	体幹屈曲，肩甲骨外転しないように体幹固定	肩峰端周囲部上側抵抗	
5	座　位	体幹屈曲，肩甲骨外転しないように体幹固定	肩峰端周囲部上側抵抗	
2	腹臥位	肩峰から頸椎部の間の肩甲骨上縁で触知	検査側上肢を下から支持	
1	腹臥位	肩峰から頸椎部の間の肩甲骨上縁で触知	検査側上肢を下から支持	
肩甲骨外転と上方回旋（前鋸筋）				
3	座　位	体幹伸展・回旋しないように肩甲骨下角直下固定	なし	肩関節 130°屈曲位で保持
4	座　位	体幹伸展・回旋しないように肩甲骨下角直下固定	上腕近位部上側抵抗	肩関節 130°屈曲位で保持
5	座　位	体幹伸展・回旋しないように肩甲骨下角直下固定	上腕近位部上側抵抗	肩関節 130°屈曲位で保持
2	座　位	体幹伸展・回旋しないように肩甲骨下角直下固定	検査側上肢を下から支持	肩関節屈曲 90°以上，肩甲骨の動きが不十分では段階 2−
1	座　位	腋窩の肩甲骨と肋骨の間で触知	検査側上肢を下から支持	肩関節屈曲 90°以上
肩甲骨内転と下制（僧帽筋下・中部）				
3	腹臥位	肩甲骨内側縁および下角部で触知	なし	肩関節 145°外転位で拇指天井に向かせる
4	腹臥位	体幹伸展・回旋しないように非検査側体幹背側面固定	上腕遠位部上側抵抗	肩関節 145°外転位で拇指天井に向かせる
5	腹臥位	体幹伸展・回旋しないように非検査側体幹背側面固定	上腕遠位部上側抵抗	肩関節 145°外転位で拇指天井に向かせる
2	腹臥位	体幹伸展・回旋しないように非検査側体幹背側面固定	検査側上肢を下から支持	肩関節 145°外転位で拇指天井に向かせる
1	腹臥位	肩甲骨内側縁および下角部で触知	検査側上肢を下から支持	肩関節 145°外転位で拇指天井に向かせる
肩甲骨内転（僧帽筋中部）				
3	腹臥位	体幹伸展・回旋しないように非検査側体幹背側面固定	なし	肩関節 90°外転位，肘関節 90°屈曲位
4	腹臥位	体幹伸展・回旋しないように非検査側体幹背側面固定	上腕遠位部背側抵抗	肩関節 90°外転位，肘関節 90°屈曲位
5	腹臥位	体幹伸展・回旋しないように非検査側体幹背側面固定	上腕遠位部背側抵抗	肩関節 90°外転位，肘関節 90°屈曲位
2	腹臥位	体幹伸展・回旋しないように非検査側体幹背側面固定	検査側上腕を下から支持	肩関節 90°外転位，肘関節 90°屈曲位
1	腹臥位	肩峰と胸椎棘突起の間で触知	検査側上腕を下から支持	肩甲骨のわずかな動きも段階 1
肩甲骨内転と下方回旋（大・小菱形筋）				
3	腹臥位	肩甲骨内側縁および下角を触知し運動を確認	なし	手背を腰部から離し保持（肩関節伸展・内旋位，肘関節屈曲位）
4	腹臥位	肩甲骨内側縁および下角を触知し運動を確認	上腕遠位部後側抵抗	手背を腰部から離し保持（肩関節伸展・内旋位，肘関節屈曲位）
5	腹臥位	肩甲骨内側縁および下角を触知し運動を確認	上腕遠位部後側抵抗	手背を腰部から離し保持（肩関節伸展・内旋位，肘関節屈曲位）
2	座　位	肩甲骨内側縁および下角を触知し運動を確認	検査側前腕遠位を下から支持	
1	座　位	肩甲骨内側縁および下角部で触知	検査側前腕遠位を下から支持	
肩甲骨下制（広背筋）				
3	腹臥位	特になし	なし	肩内旋位（手掌を上に向ける），肘伸展位の状態で，肩伸展，内転位（腕は体幹に近い位置）に腕を持ち上げて保持させる
4	腹臥位	特になし	前腕遠位部を片手で頭部方向へ抵抗	頸部検査側回旋位，肩関節内旋位で上肢を足部方向で保持
5	腹臥位	特になし	前腕遠位部を両手で頭部方向へ抵抗	頸部検査側回旋位，肩関節内旋位で上肢を足部方向で保持
2	腹臥位	特になし	なし	全可動域動かせなければ段階 2
1	腹臥位	段階 3 の肢位で，検者は腰のすぐ上の胸壁の外側面で（両側で）広背筋の筋収縮を触知する	なし	
肩関節屈曲（三角筋前部線維）				
3	座　位	体幹伸展・側屈，肩甲帯挙上しないように体幹，肩甲帯固定	なし	肘関節軽度屈曲位で肩関節 0°屈曲位から 90°屈曲位で保持
4	座　位	体幹伸展・側屈，肩甲帯挙上しないように体幹，肩甲帯固定	上腕遠位部上側抵抗	肘関節軽度屈曲位で肩関節 90°屈曲位で保持
5	座　位	体幹伸展・側屈，肩甲帯挙上しないように体幹と肩甲帯固定	上腕遠位部上側抵抗	肘関節軽度屈曲位で肩関節 91°屈曲位で保持
2	側臥位	体幹伸展・側屈，肩甲帯挙上しないように体幹，肩甲帯固定	なし	段階 3 の運動が一部可能
1	側臥位	肩峰前方で触知	なし	肘関節軽度屈曲位
肩関節外転（三角筋中部線維）				
3	座　位	体幹伸展・側屈，肩甲帯挙上しないように体幹と肩甲帯固定	なし	肘関節軽度屈曲位で肩関節 0°外転位から 90°外転位で保持
4	座　位	体幹伸展・側屈，肩甲帯挙上しないように体幹と肩甲帯固定	上腕遠位部上側抵抗	肘関節軽度屈曲位で肩関節 90°外転位で保持
5	座　位	体幹伸展・側屈，肩甲帯挙上しないように体幹と肩甲帯固定	上腕遠位部上側抵抗	肘関節軽度屈曲位で肩関節 90°外転位で保持
2	背臥位	体幹伸展・側屈，肩甲帯挙上しないように体幹と肩甲帯固定し，肩関節上面，肩峰外側，棘上窩で触知	なし	段階 3 の運動が一部可能
1	背臥位	肩峰外側で触知	なし	肘関節軽度屈曲位

235

付　録

表 10　つづき

段　階	肢　位	固定または触知	抵抗または支持	備　考
肩関節伸展（三角筋後部と広背筋）				
3	腹臥位	体幹伸展，後方回旋しないように体幹固定	なし	頸部検査側回旋位
4	腹臥位	体幹伸展，後方回旋しないように体幹固定	上腕遠位部後側抵抗	頸部検査側回旋位
5	腹臥位	体幹伸展，後方回旋しないように体幹固定	上腕遠位部後側抵抗	頸部検査側回旋位
2	腹臥位	体幹伸展，後方回旋しないように体幹固定	なし	段階 3 の運動が一部可能
1	腹臥位	肩峰後部と肩甲骨外縁上部で触知	なし	
肩関節外旋（棘下筋と小円筋）				
3	座　位	肩関節内転しないように肘関節周囲固定	なし	肩関節 90°外転位，肘関節 90°屈曲位
4	座　位	肩関節内転しないように肘関節周囲固定	前腕遠位部背側抵抗	肩関節 90°外転位，肘関節 90°屈曲位
5	座　位	肩関節内転しないように肘関節周囲固定	前腕遠位部背側抵抗	肩関節 90°外転位，肘関節 90°屈曲位
2	座　位	体幹回旋しないように肩甲骨および胸郭背側面固定	検査側前腕を下から支持	肩関節内旋・外旋，前腕回内・回外中間位，肘関節 90°屈曲位で開始
1	座　位	棘下窩部と肩甲骨外側縁背側上部で触知	検査側前腕を下から支持	肩関節内旋・外旋，前腕回内・回外中間位，肘関節 90°屈曲位
肩関節内旋（肩甲下筋と大円筋）				
3	座　位	肩関節内転しないように肘関節周囲固定	なし	肩関節 90°外転位，肘関節 90°屈曲位
4	座　位	肩関節内転しないように肘関節周囲固定	前腕遠位部腹側抵抗	肩関節 90°外転位，肘関節 90°屈曲位
5	座　位	肩関節内転しないように肘関節周囲固定	前腕遠位部腹側抵抗	肩関節 90°外転位，肘関節 90°屈曲位
2	座　位	体幹回旋しないように肩甲帯および胸郭腹側面固定	検査側前腕を下から支持	肩関節内旋・外旋，前腕回内外中間位，肘関節 90°屈曲位で開始
1	座　位	肩甲骨外側縁腹側と腋窩部で触知	検査側前腕を下から支持	肩関節内旋・外旋，前腕回内外中間位，肘関節 90°屈曲位
肩関節水平外転（三角筋後部線維）				
3	腹臥位	体幹伸展・回旋，肩甲帯内転しないように体幹背側面と肩甲帯固定	なし	肩関節 90°外転位，肘関節 90°屈曲位
4	腹臥位	体幹伸展・回旋，肩甲帯内転しないように体幹背側面と肩甲帯固定	上腕遠位部後側抵抗	段階 3 の肢位から肘伸展位にて実施
5	腹臥位	体幹伸展・回旋，肩甲帯内転しないように体幹背側面と肩甲帯固定	上腕遠位部後側抵抗	段階 3 の肢位から肘伸展位にて実施
2	座　位	肩峰後部外側で触知	検査側前腕を下から支持	肩関節 90°外転位，肘関節 90°屈曲位，前腕回内位
1	座　位	肩峰後部外側で触知	検査側前腕を下から支持	肩関節 90°外転位，肘関節 90°屈曲位，前腕回内位
肩関節水平内転（大胸筋）				
3	背臥位	なし	検査側前腕を下から支持	肩関節 60，90，120°外転位，肘関節 90°屈曲位から水平屈曲位で保持
5	背臥位	なし	上腕遠位部抵抗	肩関節 60，90，120°外転位，肘関節 90°屈曲位，水平屈曲位で保持
4	背臥位	なし	上腕遠位部抵抗	肩関節 60，90，120°外転位，肘関節 90°屈曲位，水平屈曲位で保持
2	座　位	腋窩前部上側，烏口突起内側で触知	検査側前腕を下から支持	肩関節 90°外転位，肘軽度屈曲位
1	座　位	腋窩前部上側，烏口突起内側で触知	検査側前腕を下から支持	肩関節 90°外転位，肘軽度屈曲位
肘関節屈曲（上腕二頭筋，腕橈骨筋，上腕筋）				
3	座　位	肩屈曲伸展しないように肘頭部を固定	検査側前腕を下から支持	肘関節屈曲時に前腕垂直位となるまでの肩関節屈曲位
4	座　位	体幹前傾しないように肩関節から胸部にかけての前面部固定	上腕遠位部抵抗	肘関節屈曲時に前腕垂直位となるまでの肩関節屈曲位
5	座　位	体幹前傾しないように肩関節から胸部にかけての前面部固定	上腕遠位部抵抗	肘関節屈曲時に前腕垂直位となるまでの肩関節屈曲位
2	座　位	肩水平内・外転しないように上腕遠位部を固定	検査側前腕を下から支持	肩関節 90°外転位
1	側臥位	上腕遠位部腹側（上腕二頭筋），前腕近位部橈側（腕橈骨筋），上腕遠位部外側（上腕筋）で触知	検査側前腕を下から支持	肩関節 90°外転位，肘軽度屈曲位
肘関節伸展（上腕三頭筋）				
3	腹臥位	肩甲骨内転や肩関節水平伸展しないように上腕遠位部固定	なし	肩関節 90°外転位，肘関節 90°屈曲位から 0°伸展位で保持
4	腹臥位	肩甲骨内転や肩関節水平伸展しないように上腕遠位部固定	前腕遠位部抵抗	肩関節 90°外転位，肘関節 0°伸展位で保持
5	腹臥位	肩甲骨内転や肩関節水平伸展しないように上腕遠位部固定	前腕遠位部抵抗	肩関節 90°外転位，肘関節 0°伸展位で保持
2	座　位	肩甲骨内転や肩関節水平伸展しないように上腕遠位部固定	検査側前腕を下から支持	肩関節 90°外転位，肘関節 135°屈曲位から 0°伸展位まで
1	座　位	肘頭近位，上腕遠位部後側で触知	検査側前腕を下から支持	肩関節 90°外転位，肘関節 135°屈曲位

付　録

表 10　つづき

段階	肢位	固定または触知	抵抗または支持	備考
前腕回外（回外筋と上腕二頭筋）				
3	座位	肩関節屈曲・外旋, 肘関節屈曲しないように肘関節部固定	なし	肘関節90°屈曲位, 前腕回内位から回外位で保持
5	座位	肩関節屈曲・外旋, 肘関節屈曲しないように肘関節部固定	前腕遠位部橈骨茎状突起周囲部抵抗	肘関節90°屈曲位, 前腕回外位で保持
4	座位	肩関節屈曲・外旋, 肘関節屈曲しないように肘関節部固定	前腕遠位部橈骨茎状突起周囲部抵抗	肘関節90°屈曲位, 前腕回外位で保持
2	座位	肩関節屈曲・内転・外旋, 肘関節屈曲しないように肘関節部固定	上腕遠位部と前腕近位部尺側を下から支持	肘90°屈曲位で前腕が垂直位までの肩屈曲位で, 前腕回内外中間位からの回外位まで
1	座位	前腕近位部背側, 橈骨頭直下で触知（回外筋）	検査側前腕を下から支持	肘関節90°屈曲位, 前腕回内位
前腕回内（円回内筋と方形回内筋）				
3	座位	肩関節外転・内旋, 肘関節屈曲しないように肘関節部固定	なし	肘関節90°屈曲位, 前腕回外位から回内位で保持
5	座位	肩関節外転・内旋, 肘関節屈曲しないように肘関節部固定	前腕遠位部橈骨茎状突起周囲部抵抗	肘関節90°屈曲位, 前腕回内位で保持
4	座位	肩関節外転・内旋, 肘関節屈曲しないように肘関節部固定	前腕遠位部橈骨茎状突起周囲部抵抗	肘関節90°屈曲位, 前腕回内位で保持
2	座位	肩関節・外転・内旋しないように肘関節部固定	上腕遠位部と前腕近位部尺側を下から支持	肘90°屈曲位で前腕が垂直位までの肩屈曲位で, 前腕回内外中間位からの回内位まで
1	座位	上腕骨内側顆から前腕近位1/3橈側側の線上で触知（円回内筋）	検査側前腕, 肘関節部を下から支持	肘関節90°屈曲位, 前腕回外位
手関節掌屈（橈側手根屈筋と尺側手根屈筋）				
3	座位	前腕遠位部背側固定	なし	手指の力は抜いたまま, 前腕回外位で, 中間位から掌屈位で保持
5	座位	前腕遠位部背側固定	中手骨部掌側抵抗	手指の力は抜いたまま, 前腕回外位で, 掌屈位で保持
4	座位	前腕遠位部背側固定	中手骨部掌側抵抗	手指の力は抜いたまま, 前腕回外位で, 掌屈位で保持
2	座位	なし	前腕遠位部尺側を下から支持	手指の力は抜いたまま, 前腕回内外中間位で, 中間位から掌屈位まで
1	座位	前腕遠位部掌側橈側（橈側手根屈筋）・尺側（尺側手根屈筋）で触知	検査側前腕と手部を下から支持	手指の力は抜いたまま, 前腕回外位, 手関節掌屈位
手関節背屈（長・短橈側手根伸筋と尺側手根伸筋）				
3	座位	前腕遠位部掌側固定	なし	手指の力は抜いたまま, 前腕回内位で, 中間位から背屈位で保持
5	座位	前腕遠位部掌側固定	中手骨部背側抵抗	手指の力は抜いたまま, 前腕回内位で, 背屈位で保持
4	座位	前腕遠位部掌側固定	中手骨部背側抵抗	手指の力は抜いたまま, 前腕回内位で, 背屈位で保持
2	座位	なし	前腕遠位部尺側を下から支持	手指の力は抜いたまま, 前腕回内外中間位で, 中間位から背屈位まで
1	座位	手部近位部第2指延長線上（長橈側手根伸筋）・第3指延長線上（短橈側手根伸筋）・第5指延長線上（尺側手根伸筋）で触知	検査側前腕と手部を下から支持	手指の力は抜いたまま, 前腕回内位, 手関節背屈位
頭部屈曲（頭長筋）				
3	背臥位	なし	なし	足元をみるが, 頭部は離床させない
5	背臥位	なし	両下顎部抵抗	足元をみるが, 頭部は離床させない
4	背臥位	なし	両下顎部抵抗	足元をみるが, 頭部は離床させない
2	背臥位	なし	なし	段階3の運動が一部可能
1	背臥位	触知は困難	なし	胸鎖乳突筋が活動していないことを確認する
頭部伸展（頭板状筋）				
3	腹臥位	なし	なし	壁をみる
5	腹臥位	なし	後頭部抵抗	壁をみる
4	腹臥位	なし	後頭部抵抗	壁をみる
2	背臥位	なし	後頭部を下から支持	検者をみる
1	背臥位	後頭隆起から側頭骨乳様突起の間の頸部側で触知	後頭部を下から支持	検者をみる
頸部屈曲（胸鎖乳突筋）				
3	背臥位	なし	なし	顎を引かず, 天井をみたまま, 頭を上げる
5	背臥位	なし	指2本で前額部抵抗	顎を引かず, 天井をみたまま, 頭を上げる
4	背臥位	なし	指2本で前額部抵抗	顎を引かず, 天井をみたまま, 頭を上げる
2	背臥位	乳様突起直下, 胸骨柄と鎖骨内側で触知	なし	頸部中間位から回旋位までが一部でも可能
1	背臥位	乳様突起直下, 胸骨柄と鎖骨内側で触知	なし	頸部中間位（頸部回旋の指示）

付　録

表 10　つづき

段　階	肢　位	固定または触知	抵抗または支持	備　考
頸部伸展（頸最長筋と頸腸肋筋）				
3	腹臥位	なし	なし	床をみたまま頭を持ち上げる
5	腹臥位	なし	頭頂後頭部抵抗	床をみたまま頭を持ち上げる
4	腹臥位	なし	頭頂後頭部抵抗	床をみたまま頭を持ち上げる
2	背臥位	なし	後頭部を下から支持	後頭部をベッドに押し付ける運動が一部でも可能
1	背臥位	後頸部下側で触知	後頭部を下から支持	後頭部をベッドに押し付ける運動
頸部回旋（胸鎖乳突筋，頸回旋筋群）				
3	背臥位	なし	なし	全可動域にわたり頸部回旋が可能
5	背臥位	なし	耳の上抵抗	頸部回旋位から中間位にわたり抵抗
4	背臥位	なし	耳の上抵抗	頸部回旋位から中間位にわたり抵抗
2	座　位	なし	なし	頸部回旋運動が中間位から一部でも可能
1	座　位	胸鎖乳突筋または頸部後方筋群で触知	なし	

238

※ 追加情報がある場合は弊社ウェブサイト内「正誤表／補足情報」のページに掲載いたします.
https://www.miwapubl.com/user_data/supplement.php

PT・OTのための測定評価シリーズ3
MMT―頭部・頸部・上肢　第3版

発　行	2008年10月 5 日　第1版第1刷
	2015年 1 月 5 日　第1版第3刷
	2016年 4 月21日　第2版第1刷
	2021年 3 月 1 日　第2版第2刷
	2023年 6 月30日　第3版第1刷Ⓒ
監　修	伊藤俊一
編　集	仙石泰仁，遠藤達矢
発行者	青山　智
発行所	株式会社 三輪書店
	〒113-0033　東京都文京区本郷6-17-9　本郷綱ビル
	☎ 03-3816-7796　FAX 03-3816-7756
	http://www.miwapubl.com
印刷所	三報社印刷 株式会社

本書の内容の無断複写・複製・転載は，著作権・出版権の侵害となることがありますのでご注意ください．

ISBN 978-4-89590-764-4　C 3047

JCOPY　〈出版者著作権管理機構 委託出版物〉
本書の無断複製は著作権法上での例外を除き禁じられています．複製される場合は，そのつど事前に，出版者著作権管理機構（電話03-5244-5088, FAX 03-5244-5089, e-mail：info@jcopy.or.jp）の許諾を得てください．